RICHARD PETIT

(**Détour imposé**)

LES ÉDITIONS LA SEMAINE
2050, rue de Bleury, bureau 500
Montréal (Québec) H3A 2J5

Éditeur: Claude J. Charron
Éditeur délégué: Claude Leclerc
Directrice des éditions: Annie Tonneau
Directeur artistique: Éric Béland
Coordonnatrice aux éditions: Françoise Bouchard
Concepteurs: Dominic Bellemare, Michel Malouin

Directeur des opérations: Réal Paiement
Superviseure de la production: Lisette Brodeur
Assistants-contremaîtres: Valérie Gariépy, Steve Paquette
Réviseurs-correcteurs: Alexis L'Allier, Sara Nadine Lanouette, Roger Magini
Scanneristes: Patrick Forgues, Éric Lépine, Estelle Siguret

Photo: Heidi Hollinger
Styliste: Karine Lamontagne
Maquillage: Sylvie Plourde

Remerciements: Gouvernement du Québec - Programme de crédits d'impôts
pour l'édition de livres - gestion SODEC

© Charron Éditeur Inc.
Dépôt légal: Premier trimestre 2007
Bibliothèque nationale du Québec
Bibliothèque nationale du Canada
ISBN: 978-2-923501-42-0

RICHARD PETIT

(Détour imposé)

Propos recueillis par Lambert

ÉDITIONS
LASEMAINE

Distribution: Messageries de Presse Benjamin
101, rue Henry-Bessemer
Bois-des-Fillions (Québec) J6Z 4S9

REMERCIEMENTS...

Je dois dire merci...

À la VIE, d'abord, de me faire confiance à nouveau!

À ma blonde, Hélène, ma «chimiomélodie», mon amoureuse, l'Ange que la VIE a mis sur ma route, je t'aime. Je vous souhaite à tous «votre» Hélène!

Merci à Pierrette et à Normand, solides comme le roc! Je me souhaite d'être comme vous: capable d'amour sans fin!

À mon frère Martin et sa petite famille.

À mon «frère», mon complice de toujours, Sylfranc, et sa famille: Annie, Roxanne et mon filleul Matis.

À la famille d'Hélène et à toutes ses amies, qui ont su lui insuffler de l'énergie alors que j'en étais incapable.

À l'équipe d'infirmières du «6 a-b»! On ne le dira jamais assez: vous avez été nos partenaires dans cette marche, témoins de nos beaux et de moins beaux moments. Toujours là! Toujours au poste! Le cœur rempli de compassion et de compréhension. Un merci tout particulier à Isabelle Fortin, mon «infirmière pivot», qui, avec ses jumelles, gardait un œil sur moi jusqu'à ma maison!

À l'équipe médicale, le Dr Blais en tête, et le Dr Soulières, qui sont devenus des amis. Aux docteurs Lemieux et Olney. Sans oublier les neurologues qui m'ont percé le dos avec tant de délicatesse... (clin d'œil!) et tous les intervenants qui ont ajouté des pages aux trois tomes de mon dossier fleuve.

À Charles Johnston... pour la vision d'espoir!

Merci à mon agent, Vincent Gourd, à Sébastien, à Denis et à tout le beau monde chez «B612 Communications»!

Grand merci aux milliers de personnes qui ont pris deux minutes pour m'écrire un mot. Vous n'avez pas idée du bien que vous nous avez fait! Nous avons ri, pleuré et utilisé tout cet amour comme un inépuisable réservoir d'énergie qui a été vital!

Enfin, merci à Lambert d'avoir su décoder notre torrent verbal et d'avoir écrit ce récit avec respect, tendresse et rigueur. Bravo pour ta plume et les heures de recherche scientifique!

POURQUOI CE LIVRE?

Plusieurs personnes se demanderont pourquoi je tenais à écrire ce livre.

Qu'est-ce que je peux bien avoir à raconter sur cet épisode de ma vie?

En quoi mon histoire concerne-t-elle les autres... et a-t-elle des chances de les intéresser?

On sait que des milliers de gens font face au cancer chaque jour, des enfants, des grands-parents, mais on n'en parle pas aux nouvelles, sauf exceptionnellement, et on les oublie aussitôt.

Ce sont des inconnus.

Les inconnus, comme les gens heureux, n'ont pas d'histoire.

C'est donc un peu en hommage à tous ces inconnus que je me suis finalement décidé. Parce que le métier que je fais m'a permis de me faire connaître. Et que, dans notre société, un drame associé à une personnalité interpelle les gens.

Un peu aussi pour démystifier le terrifiant vocabulaire médical relié au traitement. Le jour où mon diagnostic a été posé, je ne savais absolument pas à quoi correspondaient les mots «chimiothérapie», «radiothérapie», «TEP», «SCAN»... Je ne savais strictement rien. Ni à quoi m'attendre ni combien de temps allaient durer l'hospitalisation, les traitements.

Et comme j'ai eu la chance de ne pas vivre seul cette période de ma vie, ceux qui étaient près de moi sont présents dans ce livre, où je fais une place toute spéciale à Hélène, qui a gentiment accepté de donner sa version de l'histoire.

Une histoire qui, si elle a su renforcer les liens déjà solides qui nous unissaient, ma famille, mes copains, Hélène et moi, a laissé notre couple meurtri.

Voici donc, entremêlés, le récit d'une guérison, étape par étape, et le journal intime de nous deux pendant cette période difficile.

À tous les guerriers, je dis: «Courage! Ça va bien aller!»

INTRODUCTION

Je ne crois pas en Dieu.

Je crois à l'émerveillement. À l'état de grâce.

Et tous mes émerveillements, tous mes états de grâce, sont humains.

Ce sont mes amours, mes amis, tous ceux qui, de près ou de loin, d'une façon ou d'une autre, touchent ma vie, donnent de l'importance au moment présent, entrent dans mon cœur et dans ma mémoire, le temps que dure notre partage.

Un instant. Deux jours. Quatre mois. Vingt ans...

Le temps, comme Dieu, est une notion bien abstraite.

Mais que serions-nous sans la présence des autres?

Je devais dire cela avant de parler de Charles Johnston...

J'en étais au troisième cycle de chimiothérapie. J'étais à l'hôpital, seul dans ma chambre, assis au bord du lit, en proie à une angoisse que je n'avais jamais connue jusque-là.

Elle m'étranglait. Littéralement.

J'avais du mal à respirer. Mon cœur battait à tout rompre et j'étais certain qu'il allait flancher d'un instant à l'autre.

Une peur monstrueuse habitait tout mon corps. Je me sentais faible et fou. Les idées noires s'insinuaient dans mon cerveau comme des serpents, chassant le peu de raison qu'il me restait à cause des doses massives de médicaments qu'on me faisait prendre.

Il m'était totalement impossible d'imaginer que j'irais mieux. Et je me croyais parfaitement incapable de supporter, encore, plusieurs mois de traitement.

Je me serrais moi-même dans mes bras. Je tentais de me rassurer.

Je cherchais à me donner des forces. À me convaincre que j'étais plus fort que moi.

En vain.

J'étais sur le point de baisser les bras, d'abandonner le combat.

Puis, j'ai entendu un léger «toc, toc!»...

On frappait à ma porte.

La porte s'est ouverte.

C'était Charles.

Charles Johnston.

Et c'était, ce jour-là, à cet instant précis, la seule personne au monde qui pouvait me redonner le sens de l'émerveillement, l'état de grâce qui m'apporterait le courage dont j'avais besoin pour m'accrocher à la vie.

En revoyant Charles, j'ai su que j'allais guérir.

CHAPITRE 1

MA PREMIÈRE GUITARE

Je suis arrivé sur terre en septembre 1972.

J'ai atterri au Québec.

À Laval, mais pas n'importe où à Laval.

Mon père, ma mère et mon grand frère, Martin, qui avait déjà quatre ans, habitaient le domaine Renaud. Un quartier fermé, bordé par le parc industriel, l'autoroute des Laurentides et des terrains vagues. Un village à l'intérieur d'une ville. Des bungalows charmants, aux pelouses parfaites, habités par des familles parfaites, issues de la classe moyenne, à l'aise sans être riches. Des papas qui quittent la maison tous les matins. Des mamans qui restent à la maison. Des parents aimants et des enfants juste assez turbulents.

Un endroit fait pour le bonheur.

Et j'y ai été heureux.

Mes parents, pour leur part, avaient vécu très intensément avant de décider de s'établir et de fonder une famille. Ils avaient vécu en Europe pendant près de trois ans. Mon père avait fait une partie de ses études en Angleterre. Puis, il avait été embauché par IBM, une compagnie en pleine effervescence.

À mon arrivée sur la planète, il était chef de projet du système des résultats des Jeux olympiques de 1976. C'est dire que tous mes premiers souvenirs sont liés à cet événement extraordinaire.

Nous suivions avec passion la construction du stade. Je collectionnais les drapeaux des pays invités, et, avec maman pour guide, penché sur le globe terrestre, je faisais mon petit tour du monde. Tous les préparatifs entourant la venue des athlètes, les pyramides où ils logeraient, les disciplines qui seraient représentées, tout, absolument tout nous intéressait. Nos parents ne nous ont jamais poussés vers le sport, mais nous n'avions pas le droit d'ignorer l'aspect culturel d'une telle fête.

La culture, ma culture, c'était aussi les jeux vidéo qui faisaient leur apparition. Atari m'a donné des heures de plaisir. Puis, il y a eu *Star Wars*, de Georges Lucas, la guerre des étoiles à laquelle tous les enfants du monde ont participé en espérant recevoir le cadeau de «la Force». J'avais la joie de posséder quelques figurines des personnages du film et je réalisais mes propres scénarios dans mes décors en Lego.

***

La musique est venue vers moi sans que je l'appelle.

La compagnie pour laquelle travaillait mon père lui a un jour demandé de s'installer à Québec.

Je quittais un univers que je connaissais par cœur, des amis que j'aimais, tous mes points de repère, pour ce qui me semblait être le bout du monde. J'étais plein de doutes et d'appréhension.

Je ne voulais pas de cet exil.

D'autant plus que nous partions pour toujours. Et le mot toujours, pour un enfant, est un mot redoutable.

À Québec, je ne me suis jamais fait d'amis. Je suis arrivé dans cette ville à la fin de l'année scolaire. Les groupes de chums s'étaient déjà formés. Mon accent montréalais tenait mes camarades à distance. J'étais un étranger et j'allais demeurer un étranger.

J'ai vécu seul. Isolé. Dans une maison beaucoup trop grande pour nous quatre, aux pièces trop nombreuses et trop vastes, dont certaines me faisaient peur à tel point que je n'y entrais jamais. Une maison aussi luxueuse que spacieuse, où toutes les chambres avaient leur propre salle de bains. Qui possédait une salle de jeu immense, inutile.

Ma mère était là, mais mon père travaillait dur et ne comptait pas ses heures. Mon frère traversait l'adolescence, et notre différence d'âge lui interdisait de me mêler à ses activités.

Toutefois, je crois que c'est cette solitude qui m'a permis de rencontrer la musique.

Nous possédions, sur cassettes, les compilations «Bleu» et «Rouge» des Beatles. Je les écoutais en boucle et j'en ressentais un plaisir qui ne ressemblait à aucun autre, une joie profonde, qui me faisait du bien partout, dans ma tête et dans mon corps. Puis, j'ai découvert l'album *Star Wars and Other Galactic Funk Soundtrack*, de MECO, sur lequel Domenico Monardo, entouré de musiciens exceptionnels, faisait swinguer le superbe thème de John Williams sur des rythmes disco à saveur funk. Un délice! Et c'est en réécoutant ce disque que la musique a pris forme en moi. Sans la connaître, sans même avoir appris un minimum de solfège. J'ai tout à coup senti la ligne de la basse. J'ai «joué» les lignes des trompettes et des guitares.

Je savais déjà que la musique était un pur plaisir à écouter et je me disais à ce moment-là que ça devait aussi être drôlement le fun d'en jouer!

J'étais musicien! J'étais chef d'orchestre!

J'avais sept ans. J'étais ébloui!

(J'ai retrouvé ce disque, 20 ans plus tard, et je n'en avais pas oublié une seule mesure!)

Mon frère, plus âgé, plus au fait des hits du moment, était celui qui achetait les disques. Un jour, il est arrivé avec la bande sonore du film *Saturday Night Fever*. J'étais plus ou moins intéressé, mais j'étais affamé de musique, et nous n'avions pas des tonnes de disques, alors je me suis forcé à l'écouter une première fois, puis une deuxième. Et l'enchantement, encore une fois, s'est produit.

J'aimais les mélodies qui avaient un «hook»: ce petit quelque chose qui «accroche» l'oreille.

Puis, *Grease* est venu s'ajouter à ma collection de vinyles et à mon palmarès personnel.

Mais un des moments forts de mes premières expériences musicales s'est produit à Noël. J'étais en quatrième année. Mon frère, en deuxième secondaire. Et, au *party* des fêtes de son école, à l'occasion de l'échange de cadeaux, il a reçu le 45 tours de Pink Floyd, *The Wall*.

Sur la face A, le déjà célèbre *Another Brick in the Wall, Part II*.

J'ai été bouleversé par la force de cette musique!

Des éléments sonores complètement nouveaux surgissaient des haut-parleurs et me touchaient, presque physiquement. Je m'envolais avec le solo de guitare!

Le côté sombre de la face B m'entraînait dans un cauchemar qui me ravissait.

Le pouvoir de la musique, déjà, m'apparaissait sans limites!

***

L'exil n'a finalement duré que deux ans.

Nous sommes rentrés à Laval.

Mon père, sage, n'avait pas vendu notre maison. Il l'avait louée.

C'est avec joie que nous l'avons retrouvée, et que j'ai renoué avec mon quartier, mon village dans la ville, et mes amis.

Pour en finir avec ce passage à Québec, je veux dire à quel point ces deux années me semblent étrangement perdues, à part mes découvertes musicales, bien sûr. C'est comme si je m'étais absenté de la planète. Par la suite, je n'ai jamais vraiment rencontré quelqu'un qui m'aurait connu à cette époque.

Depuis que je fais carrière, même à Québec, jamais personne ne m'a abordé dans la rue pour me dire: «Eh, Richard! C'est bien toi qui fréquentais l'école Saint-Yves? Je me souviens de toi.» Des gens, de tous les coins de la province, me reconnaissent, me saluent, m'envoient des courriels sur mon site Internet. Mais, pas un seul être humain ne se souvient de mon séjour à Québec!

Et je n'ai jamais revu les quelques visages dont moi, je me souviens.

J'ai peut-être été le héros d'un épisode extraterrestre de *Twilight Zone* diffusé dans la Voie lactée!

***

Les années 1980 sont là.

E.T. cherche le numéro de téléphone de ses parents. Les vidéocassettes de *Star Wars* ne se louent plus qu'occasionnellement. Alan Parker met finalement en images l'album double de Pink Floyd, et le film *The Wall* voit le jour.

Michael Jackson, Hall and Oates, Duran Duran, Culture Club accaparent les ondes des radios. Le pop est plus populaire que jamais.

Moi, j'écoute AC/DC, Led Zeppelin, Iron Maiden, Kiss.

De la musique moins évidente, qui emprunte des chemins moins faciles, dont les sujets, comme la façon de les développer, sont plus originaux.

Avec mon ami Martin, nous passons des après-midi entiers dans le sous-sol de ses parents, maquillés comme les membres du groupe Kiss, à faire du *lip-sync* en jouant sur des guitares en carton!

En sixième année, lors d'une danse organisée à l'école, les filles réclament une ballade. Je choisis de faire jouer *Stairway to Heaven*, de Led Zeppelin. Les premières minutes de la chanson rassemblent les danseurs. Mais quand le solo de guitare débute, on veut me fusiller!

Ça n'a pas d'importance.

(Effectivement, c'est pas grave: faut imposer son style... hé hé hé!)

Je n'aimais pas le *easy-listening*, le familier, l'ordinaire. Le «prêt-à-porter» musical.

À cette époque, bien sûr, je n'aurais pas pu exprimer ces pensées aussi clairement. Mais c'est bien ce que je ressentais.

Enfant déjà, puis adolescent, j'étais rêveur, parfois lunatique, souvent seul. Une solitude imposée par une flagrante incapacité à me faire des amis.

***

À 16 ans, j'ai fait une rencontre étonnante.

On dit que le hasard n'existe pas. C'est peut-être la vérité, après tout...

Ce soir-là, j'allais visiter un copain. Pour me rendre chez lui, je devais traverser un parc.

Il est assez tard, et le parc est désert.

En passant près d'un banc, toutefois, j'aperçois une forme noire. Je m'approche, prudemment...

C'est un étui de guitare.

Je regarde autour de moi.

Personne!

J'ouvre la boîte.

La guitare est bien là.

Je scrute les ténèbres.

Toujours personne!

J'appelle:

«Y a quelqu'un?»

Pas de réponse.

Je prends la guitare, sors du parc en sifflant, pas trop vite, comme si de rien n'était et cours vers la maison.

Chez moi... C'est plus près que chez mon ami!

C'est une guitare classique. Qui ne vaut sans doute pas bien cher. Mais... puisque personne n'en veut...

Je la touche.

Quelle étrange sensation! C'est la première fois que je tiens un instrument de musique.

Je la caresse un moment. Je fais vibrer ses cordes.

Et je la range dans un coin.

***

Faute de devenir musicien moi-même, je suis devenu gérant de Smoke Town, un groupe de jeunes rockers qui jouaient le genre de musique que j'aimais, de Jimi Hendrix à Led Zeppelin. Pendant les répétitions, les doigts me démangeaient! Comme j'enviais ces garçons de pouvoir faire de la musique! Quand ils se mettaient à «jammer», j'aurais donné n'importe quoi pour me joindre à eux et partager ces moments de liberté créatrice!

Nous étions à part. Ailleurs.

Il faut dire que j'étais un excentrique de première classe et que j'attirais forcément des gens un peu «flyés». Nous fumions du pot. Cheveux longs, chemises à fleurs et colliers au cou, nous rêvions avec nostalgie des années 1960, que nous n'avions pas connues, mais dont nos idoles étaient issues.

***

Un jour où mes parents sont absents, un ami fait irruption chez moi avec trois filles que je ne connais pas. Dans le hall d'entrée, Sébastien me raconte que l'une d'elles est sa petite amie et qu'elle a emmené deux de ses copines.

On se roule un petit joint.

Je vais à la cuisine chercher des rafraîchissements.

À mon retour, Sébastien est au salon et il joue, sur ma guitare, un petit air de Pink Floyd, sous les yeux remplis d'admiration des trois demoiselles.

Encore une fois, je reste sans voix devant le pouvoir de la musique... et de l'homme qui sait en jouer!

Après le départ des filles, je supplie Sébastien de m'apprendre cette chanson et, au bout de deux ou trois heures, je peux enfin l'interpréter raisonnablement bien. Grâce à cet air-là, je connais déjà quatre accords: la mineur, fa, do et mi.

Quelle richesse!

Sur ces mêmes accords, je composerai ma première chanson!

Chanson rock? Pop?

Hybride, sans doute.

J'ai 16 ans et j'écoute de plus en plus de musique folk psychédélique et progressive.

***

Durant l'été de mes 17 ans, je deviens moniteur dans un camp de vacances au domaine des Pins de Contrecœur.

Moniteur parmi une dizaine d'autres moniteurs, dont huit... jouent de la guitare! Ils possèdent un répertoire que leur envierait n'importe quel animateur de bar à chansons: ils connaissent par cœur Beau Dommage, Paul Piché, Harmonium... Ils ont des guitares de pros: des Norman, des Gibson, des 12 cordes... La mienne fait pitié, même si j'ai collé des fleurs de papier dessus pour cacher un peu son allure décrépite.

Mais mes copains sont gentils et acceptent de me donner un coup de main. Le week-end suivant, je m'empresse de faire la démonstration de mon talent à ma mère, sans oublier de lui préciser que si j'avais une meilleure guitare, mes progrès seraient plus rapides. Surtout si je possédais une Norman B-20-12 qui, justement, est en solde cette fin de semaine-là!

Je l'ai eue, ma guitare!

À la fin de l'été, je m'étonnais moi-même!

Une chose cependant me dérangeait encore: je chantais mal.

Quand les autres moniteurs chantaient, les gens en redemandaient: «Vas-y... Fais-en une autre!» Ça ne m'arrivait pas à moi. Pas quand j'interprétais les chansons des autres.

Mais...

Quand j'ai décidé de présenter ma première composition, le miracle s'est produit:

«C'est bon, ça, Richard! C'est quoi, cette chanson?»

J'ai été tellement fier de répondre: «C'est une de mes «tounes»!»

Cet été-là, j'ai compris une chose importante: mes propres chansons passaient mieux parce que je n'imitais

27

personne. J'étais moi. Je ne faisais pas semblant.

Et je me suis mis, sérieusement, à l'écriture. Des chansons d'inspiration québécoise et folklorique, évidemment, camp de vacances oblige!

Puis, peu à peu, en puisant dans mon jeune vécu, dans mes influences musicales de toujours, dans mon quotidien, j'ai commencé à trouver mon vocabulaire, mon style musical, à construire l'auteur-compositeur Richard Petit, qui, si tout allait bien, si le talent était vraiment là, ne ressemblerait à personne d'autre.

***

CHAPITRE 2

GROUPE OU
CARRIÈRE SOLO?

À cet âge là, je ne pensais toujours pas faire carrière.

Avec le recul, je me dis qu'il était inévitable que l'idée, un jour ou l'autre, fasse son petit bonhomme de chemin jusqu'à me paraître une réalité possible. Chaque fois que j'approchais l'écriture, la composition, chaque fois que je faisais face au public, quelque chose en moi prenait vie. Une lumière s'allumait. Une énergie comparable à aucune autre m'habitait.

C'était chaque fois un moment de joie.

Évidemment, personne dans mon entourage ne faisait partie du milieu artistique. Personne ne le fréquentait. Je pouvais difficilement m'imaginer comment m'y prendre pour entrer dans le merveilleux monde du show-business.

Puis, mon frère, Martin, a commencé à en rêver.

En fait, je crois qu'il en rêvait depuis toujours, mais il gardait ses rêves pour lui.

Je savais qu'il s'intéressait à l'improvisation au cégep. Il faisait même partie du Mouvement d'improvisation Montmorency (MIM). Il avait pour copains Claude Legault et Michel Courtemanche, entre autres. Dans d'autres cégeps, à la même époque, Patrick Huard, Jean-Michel Anctil et compagnie faisaient leur apprentissage.

En 1991, Martin remporte les auditions nationales Juste pour rire. On commence à parler de lui dans les médias. On le voit à la télé.

Je suis fier de lui, et son succès me fait rêver à mon tour. Un peu.

Toutefois, j'ai d'autres chats à fouetter avant que mon ego ne grandisse au point de me faire croire que j'ai quelque chose d'unique à offrir.

Je suis tour à tour moniteur de camp de vacances, DJ, barman...

J'accompagne un groupe d'orphelins au Mexique (mais je ne dirai que ça, parce que l'expérience à elle seule mérite d'être racontée dans un livre!) et, bien sûr, malgré toutes ces activités, je me réserve du temps pour la musique.

***

Un autre été s'achève.

J'aurai 21 ans dans quelques jours. Je me prépare à retourner à Québec pour y terminer mon cégep. Il me reste une semaine à passer à Montréal.

C'est à ce moment que je monte sur scène pour la première fois, au Grand Café, sur la rue Saint-Denis. C'est un copain flûtiste qui obtient ce contrat. Quatre pièces instrumentales originales, deux ou trois chansons connues, rien de plus. Mais à la fin de la représentation, qui s'est très bien déroulée et qui a plu au public, mon ami Sylfranc a cette réflexion: «Eh... si on formait un groupe? J'suis sûr qu'on pourrait se trouver du travail.»

Je ne suis pas prêt.

C'est quand même avec un peu de tristesse que je pars pour Québec...

Je m'y rends avec un copain qui sera mon coloc, dans une maison ancestrale située dans le Petit-Champlain, à deux pas de la place Royale. Il joue du saxophone. Notre voisin d'en face est guitariste et claviériste. Nous devenons rapidement amis et complices. Nous passons des heures à «jammer». Et nous nous amusons à arranger mes compositions, car je suis toujours aussi «pourri» quand j'essaie de chanter les chansons des autres.

Mon professeur de français met sur pied de petits spectacles de poésie pour lesquels il nous demande d'écrire, et nous invite à présenter nos œuvres au café étudiant. Il aime bien mes poèmes. Et, quand je précise que ce sont des paroles de chansons, il insiste pour que je les chante.

Un moment important: le premier domino de la chaîne.

Les chansons ont un effet sur les quelques filles avec qui je flirte et impressionnent le directeur du service étudiant, qui me propose de monter pour lui un spectacle d'une heure. Il m'offre 200 $. Une fortune pour un étudiant!

J'accepte sans discuter et je téléphone à Montréal pour convaincre mes chums du Grand Café de me rejoindre. Guitare, flûte. Sylfranc aux percussions. Ça devrait bien «sonner». Une nouvelle amie, chanteuse, rencontrée au récital de poésie, se fait choriste pour l'occasion. C'est ainsi que naît le groupe Les Gentizoms, qui donne son premier show le 7 avril 1994, au cégep Limoilou.

Le spectacle comprend neuf chansons, toutes de moi.

Un succès formidable, qui me laisse songeur et me fait prendre conscience pour la première fois que j'ai peut-être de l'avenir dans le showbiz. Il n'en faut pas plus pour se mettre à rêver!

Quant à moi, je connais une minigloire au café étudiant du cégep, ce qui ne me déplaît pas du tout.

En fait, j'aime tellement mon expérience que je décide d'abandonner le cégep, de me trouver du travail et de m'acheter une guitare plus performante et une console de son pour pouvoir répéter plus sérieusement. Je rentre donc à Montréal et je parle à mes parents: «Donnez-moi un an. Si dans un an, rien ne fonctionne pour moi, je reprendrai mes études.»

Je tiens à préciser que j'ai toujours eu d'excellents rapports avec mes parents, même lorsque nous avions des divergences d'opinions, même si, comme tous les adolescents, je leur ai donné du fil à retordre. Je crois que s'ils ont parfois douté de moi et de l'avenir dont je rêvais, ils n'ont jamais manqué d'amour pour moi. Ce sont des gens que j'aime et que j'admire.

Je me mets donc à écrire et, quand l'inspiration se tait, à lire. De la poésie, surtout.

Verlaine, Rimbaud, évidemment, Nelligan, bien sûr, Valéry, Apollinaire et plusieurs autres.

Puis, Baudelaire...

Les fleurs du mal marquent un virage dans ma carrière d'auteur. Un poème en particulier, «Une charogne», a sur moi l'effet d'une révélation: tout devient possible, tout est permis!

Ce passage, entre autres...

«Les formes s'effaçaient et n'étaient plus qu'un rêve
Une ébauche lente à venir,
Sur la toile oubliée, et que l'artiste achève
Seulement par le souvenir.»

J'ai le droit d'aller où je décide d'aller. J'ai le droit de développer n'importe quelle idée, d'aborder n'importe quel sujet, du moment que moi, et moi seul, je les juge intéressants.

Armé de cette certitude, je vois s'ouvrir devant moi les portes d'un jardin merveilleux, où il suffit d'imaginer les fleurs les plus extraordinaires pour qu'elles poussent et se multiplient.

J'ai pondu 500 textes dans les mois qui ont suivi.

***

Un an après avoir parlé à mes parents, un an presque jour pour jour, j'ai créé L'affaire Tournesol (un clin d'oeil à Tintin, bien évidemment, mais sans plus), et nous faisions la première partie des Colocs dans un festival d'épluchette de blé d'Inde, à Laval.

C'est là que j'ai fait la connaissance de Dédé Fortin, une rencontre des plus significatives dans mon existence.

Dédé a écouté notre prestation avec un intérêt tout particulier. Je m'en suis rendu compte. Et j'ai souhaité pouvoir lire dans ses pensées.

Après le show, il est venu me voir, s'est assis près de moi sur le stage et m'a posé des questions sur mes chansons. Il m'a demandé de lui répéter certaines phrases qui l'avaient particulièrement touché, m'a fait gentiment quelques suggestions...

Je n'en revenais pas!

Personne, jusqu'alors, pas même mes musiciens, n'avait montré le moindre intérêt pour mes textes! On aimait ma musique. On ignorait mes paroles. Et voilà que Dédé Fortin, que je considérais comme le top pour ce qui est de l'écriture, me révélait qu'il s'intéressait à certaines de mes phrases!

Je me suis remis au travail avec un enthousiasme renouvelé.

Écrire, écrire, écrire.

En peu de temps, nous avons élaboré un spectacle

solide de deux heures, composé uniquement de mes chansons.

À chaque représentation, nous en testions deux ou trois nouvelles. J'étais sans pitié pour celles qui ne marchaient qu'à moitié. Je voulais la perfection. Rien de moins.

Dédé Fortin avait été et était toujours mon idole. Il est devenu mon mentor. Il me conseillait, me «coachait» dans mon écriture et m'aidait dans la gestion de mon band. Et il est aussi devenu un ami.

Quand il m'a demandé d'écrire avec lui, je n'ai pas compris pourquoi et je lui ai posé la question.

Il m'a répondu: «Parce que ton écriture flotte dans les airs. Moi, je suis très terrestre et je veux aller vers le haut. Je sais que toi, tu peux m'aider à m'envoler.»

C'est à ce moment que je lui ai parlé de Baudelaire. Quand j'ai lu mon poème préféré à Dédé, il a pleuré.

Deux jours plus tard, il est arrivé chez moi avec sa guitare et m'a chanté *Les tableaux parisiens*, de Baudelaire, poème à partir duquel il venait de composer une chanson remarquable.

***

L'affaire Tournesol a commencé la tournée des concours, pour remporter des deuxièmes prix. Toujours des deuxièmes prix.

Je n'en étais pas vraiment surpris. Je n'aimais plus du tout l'ambiance qui régnait à l'intérieur du groupe. Un groupe dont j'étais l'instigateur, le moteur, l'auteur-compositeur, le chanteur, l'arrangeur, le motivateur, le gérant, le promoteur et le booker.

Un groupe dont les cachets étaient pourtant divisés à parts égales.

Dédé me conseillait depuis longtemps de faire une carrière solo.

J'y pensais...

Puis, il y a eu notre dernière participation aux Franco-Folies...

Nous n'avions pas d'album sur le marché. Mais, l'année précédente, nous avions été finalistes à *L'empire des futures stars*, et nous étions très attendus. Le show avait lieu au Spectrum.

À 11 h, un groupe français. À minuit un groupe québécois.

Le groupe français venait de Toulouse. Il s'agissait de ZEBDA!

Des pros! Des stars qui avaient de super hits à leur actif. Et attention: ça brassait!

Nous n'étions encore que des amateurs.

Il y avait quelque chose d'injuste dans cette situation.

Je n'avais même pas envie de monter sur scène.

Mais nous l'avons fait quand même. Quelle erreur! Ça a été un désastre!

Je n'en pouvais plus.

À notre sortie de scène, j'ai reconnu un journaliste de l'hebdomadaire *Voir* qui venait vers moi. Avant qu'il m'adresse la parole, je lui ai dit: «Ne te donne même pas la peine de nous écorcher dans ton journal. L'affaire Tournesol, c'est fini.»

C'était en 1998.

J'ai annulé tous les concerts du groupe, à l'exception de ceux que j'avais «bookés» pour Tadoussac et Winnipeg.

Je me suis acheté une moto et j'ai pris la route avec un copain. Je me suis arrêté ici et là, dans plusieurs villes et villages de la province, visitant les nombreux amis que je m'étais faits au fil des tournées. Pas bien riche, mais heureux et libre.

Pour le concert de Tadoussac, j'ai joué avec deux membres de L'affaire Tournesol qui ne m'en voulaient pas trop et j'ai engagé quelques musiciens.

J'ai passé l'été sur ma moto, à suivre Les Colocs, et j'ai assisté à tous leurs shows. Puis, en septembre, à Winnipeg, j'ai donné un spectacle sous le nom de Richard Petit, spectacle que j'ai enregistré.

Au retour, il me fallait décider ce que j'allais faire de ma vie.

Retourner aux études?

Entreprendre enfin une carrière solo?

C'est Dédé qui m'a aidé à opter pour la seconde option.

Il a écouté la cassette de mon show de Winnipeg et m'a assuré qu'il me trouverait un contrat de disque. Je savais que je pouvais lui faire confiance. Dédé ne parlait jamais pour ne rien dire.

Le 31 décembre 1998, pour la première fois, je voyais mon nom sur la marquise d'une salle de spectacle. Au Spectrum, je faisais, seul, cette fois, la première partie des Colocs. Un des plus beaux moments de scène de ma vie! Des années après, je rencontrais encore des fans qui me parlaient avec enthousiasme de ce spectacle, précisant qu'ils avaient alors cherché à acheter mes disques... qui n'existaient pas encore!

Dédé a tenu sa promesse et m'a présenté à Pierre Tremblay, des Disques Double. L'affaire s'est conclue en quelques jours.

Le 10 mai 2000, le lancement de mon album *Kiss and Run* avait lieu.

Quatre minutes avant que je monte sur scène, on m'apprenait que Dédé Fortin était décédé.

Je perdais mon ami, mon mentor, mon collaborateur.

Mon idole.

Ma carrière commençait par un gigantesque croc-en-jambe.

***

CHAPITRE 3

TÉLÉ, VOYAGES ET AMOUR

Malgré tout, mon album a connu une grande diffusion, et quatre titres sont devenus des numéros un, dont *Kiss and Run* et *Le printemps*.

Toutefois, on me présentait encore comme «le frère de Martin Petit, vous savez, l'humoriste», ou encore comme «le chum de Dédé, vous savez, des Colocs», et ça commençait à me taper sur les nerfs. Un jour, je ne me suis pas retenu de dire ce que j'en pensais à un journaliste. Moi, toujours gentil et souriant, je n'étais ni l'un ni l'autre lors de cette entrevue, et, finalement, le message a passé.

Richard Petit pouvait dès lors marcher tout seul.

J'ai moi-même réalisé le vidéoclip de *Kiss and Run*, quatrième extrait de l'album, avec un budget plutôt maigre. On y voit une centaine d'hommes et de femmes se «frencher» tour à tour, sans se soucier du sexe de leur partenaire, avec une sensualité charmante et une joie évidente. Dès sa sortie, le vidéoclip a fait couler beaucoup d'encre et a provoqué un petit scandale, ce qui ne l'a pas empêché, quelques mois plus tard, d'être en nomination au gala des MuchMusic Awards, à Toronto, dans la catégorie «Meilleur vidéoclip francophone de l'année»!

Comme quoi, parfois, une bonne idée a plus de poids qu'un gros tas d'argent!

***

La tournée *Kiss and Run* se passait super bien. Les chansons jouaient en boucle à la radio. On parlait de moi dans les journaux. J'étais de plus en plus présent. De plus en plus visible. Les ventes de disques, par contre, étaient assez modestes.

Sur les vagues d'Internet où surfaient les fans de musique, Napster, encore illégal à l'époque, offrait mes œuvres gratuitement... Rien pour aider un nouvel artiste à émerger.

Bien sûr, je ne suis pas la seule victime de ce piratage. Tous les artistes en souffriront plus ou moins, jusqu'à ce que les gouvernements s'intéressent de près à ce problème planétaire qui, encore aujourd'hui, est loin d'être parfaitement réglé.

L'expérience que j'acquiers en tournée, devant le public, m'aide à analyser le potentiel scénique de mes chansons. Il y en a deux ou trois qui passent vraiment moins bien la rampe, qui touchent le public moins directement, qui manquent de punch. Je décide donc d'écrire les titres de mon deuxième album en fonction de la scène. J'ai le goût d'organiser une tournée plus longue, de faire un plus grand nombre de spectacles, d'aller rencontrer les gens dans toute la province.

Pour qu'ils soient au rendez-vous, je voulais qu'en écoutant mon prochain album ils se disent: «Wow, ces chansons-là, *live*, ça promet!»

Le disque a été lancé le 10 septembre 2002.

Toujours en 2002, ma blonde, qui partageait ma vie depuis 2000, travaillait à MusiquePlus, où elle animait une émission de sports extrêmes. Avec une caméra digitale, je suivais l'équipe de tournage et je filmais plein de moments particuliers, amusants qui étaient insérés dans les reportages lors du montage. C'est un travail que j'ai fait avec beaucoup de plaisir et qui m'a amené à considérer d'autres avenues que la chanson pour gagner ma vie...

Même si la chanson était et demeure ma première passion.

C'est elle, d'ailleurs, qui, à la même époque, m'amène en Bosnie, où je fais des shows pour les forces armées canadiennes. (J'avais déjà travaillé pour l'armée, en 1999, au Timor oriental, en Indonésie, et j'avais fêté le premier jour de l'an 2000 à Darwin, en Australie.) C'est pendant ce voyage en Bosnie que je rencontrerai Louis-José Houde, encore méconnu, mais dont, je devinerai tout de suite la personnalité qu'il deviendra.

Avant de partir, je vais voir la directrice de MusiquePlus, Johanne Ménard, et je lui suggère de réaliser un mini-reportage pendant mon séjour à l'étranger. Non seulement elle accepte avec enthousiasme, mais elle me propose de lui présenter 30 minutes de film. Johanne est par la suite enchantée du résultat, et quand mes amis du groupe Collectivo partent pour une tournée au Mexique, elle accepte que je parte avec eux pour faire d'autres reportages.

Au retour, elle est convaincue de mes talents de réalisateur et réussit à m'en convaincre moi-même, assez pour que des idées commencent à germer dans ma tête...

***

Je passais donc de plus en plus de temps dans les bureaux et les studios de MusiquePlus, où les idées neuves étaient recherchées et encouragées.

Quand Johanne m'a dit qu'elle rêvait d'ajouter une émission humoristique à sa grille horaire, j'ai conçu *Drôle de VJ*. Une idée toute simple: un humoriste, différent chaque semaine, viendrait présenter des vidéoclips.

Drôle de VJ connaît immédiatement un franc succès.

Puis, je récidive avec *Dollaraclip*, dont je confie l'animation à Louis-José Houde. Sans même réaliser une émission pilote, nous nous jetons dans la fosse aux lions! Mes responsabilités de concepteur et de réalisateur pèsent lourd sur mes épaules, mais je crois en mon projet, et surtout, j'ai une énorme confiance en Louis-José!

Après trois semaines, on fait sauter l'audimat de MusiquePlus! Du jamais vu à cette station, où les plus grosses cotes d'écoute plafonnaient depuis toujours à 50 000 auditeurs.

Quelques jours à peine après la sortie de mon deuxième album, *Little Girl*, je tiens un super *hit* à la télévision!

***

Little Girl, pour sa part, malgré d'excellentes critiques, n'a pas marché comme je le souhaitais. Certains titres ont quand même atteint leur cible, et j'ai connu un super *hit* avec *Niaiseux*, auquel on m'identifie toujours (le *hit*, pas l'adjectif!).

Je ne me suis pas retrouvé au chômage pour autant!

Je partageais mon temps entre les concerts de ma nouvelle tournée et la réalisation de *Dollaraclip*, dont le succès ne faiblissait pas.

Nous avions signé pour 13 émissions.

Nous en avons réalisé 40!

À l'automne 2003, j'ai fait mon entrée à Télé-Québec en réalisant, pour l'émission culturelle *Diabolo menthe*, animée par François-Étienne Paré, des courts métrages sur la ville de Montréal.

Je vivais seul à cette époque-là, mais j'étais entouré d'une joyeuse bande de chums, dont le comédien Michel Goyette. Lui et moi avions décidé, en septembre, que nous irions passer le temps des fêtes dans le Sud. Destination Costa Rica.

Puis, plusieurs copains, dont Martin Gendron, partenaire de Michel à la télé dans *Watatatow*, ont exprimé le désir de partir avec nous. Nous nous sommes donc retrouvés une dizaine de gars à faire la fête au soleil.

Nous avons loué une grande maison dans les montagnes, à cinq minutes de la plage, ainsi que des jeeps, des motos, et nous avons partagé trois semaines de bonheur parfait. Trois semaines qui ont définitivement consolidé notre amitié.

Puis, pendant les deux semaines après notre retour, Martin Gendron est mort d'une overdose. Un choc terrible pour nous tous. Et pour la province toute entière. C'était ma deuxième épreuve face à la mort.

Puis, quelques mois plus tard, alors que je rentrais chez moi, vers 10 h du matin, j'ai eu la malchance de déranger deux cambrioleurs occupés à vider mon appartement.

Coups et blessures de part et d'autre.

Ils se sont enfuis.

Mais comme ils avaient déjà mis mon ordinateur dans leur voiture, j'ai perdu deux ans d'écriture!

***

En juin, toujours pour les forces armées, je suis allé à Kaboul, en Afghanistan, où j'ai produit une tournée de spectacles d'artistes canadiens. J'étais responsable du choix des artistes, de la direction artistique. Un travail monstre. Une expérience formidable. Dix-huit jours de tournée.

À la fin du séjour, durant le vol qui nous mène de Dubaï à Zagreb, je décide de rester de l'autre côté de l'Atlantique et de visiter l'Europe.

Pendant trois semaines, seul avec mon sac à dos, je voyage en train.

Je verrai la Croatie, le nord de l'Italie, l'Autriche, la Suisse.

Puis la France, Lyon, Paris, puis Londres...

Je termine mon voyage en passant trois jours à Paris, où je suis accueilli de façon princière par des amis du showbiz, grâce à qui je vis des moments mémorables.

Je ne dirai jamais assez combien ces trois semaines m'ont fait du bien.

J'avais un lecteur de CD portatif. Je ne l'ai jamais utilisé. J'ai lu, un peu, mais j'ai surtout observé. C'est une expérience très particulière de se retrouver étranger parmi des étrangers. D'être parfaitement seul, entouré de milliers de gens. De savoir que pour ceux que l'on croise, on est personne...

Au retour, mis à part deux ou trois shows pour les fêtes de la Saint-Jean, je n'ai pas d'engagements.

Je me mets donc à l'écriture de mon troisième album.

Et je sors. Tous les soirs, je suis dans les bars. Je mène une existence en mode «*party* extrême»! J'ai un ami qui vient d'ouvrir le Radio Lounge, dont je deviendrai rapidement le client le plus fidèle.

Je rentre tard. Je me lève tard. J'écris. Je sors. Et tout ça recommence sans cesse.

***

En septembre, je suis invité à *La Fureur*.

Sur le plateau, je rencontre Hélène Bourgeois Leclerc, une jeune comédienne. Elle me plaît.

Je me souviens que nous nous sommes déjà croisés, au printemps 2004, alors que nous faisions partie des invités de *Christiane Charette en direct*. Hélène avait parlé de l'aventure des *Bougon*, qui commençait, et j'avais présenté mes nouvelles chansons et parlé de mon expérience en Afghanistan.

Puis, une deuxième rencontre à *La Fureur* confirme mon premier feeling: cette fille me plaît. Beaucoup.

Mais elle est en couple.

Intouchable.

***

J'ai connu Richard à l'émission de Christiane Charette. C'est vrai. Mais ça demeure un souvenir assez imprécis.

Je me souviens que j'ai aimé sa musique. Que je l'ai trouvé intelligent, articulé. Intéressant. Mais sans plus.

Pas de «kick». Ni physique ni sentimental.

J'étais en couple à cette époque, relativement bien dans cette relation, et je ne suis pas du tout volage.

Quand nous nous sommes revus, quelques mois plus tard, à La Fureur, mes amours commençaient à m'inquiéter sérieusement.

Je sentais venir la fin.

Richard était visiblement heureux de me revoir. Il était gentil, empressé et rayonnait de joie de vivre.

Mais... il faut tant de temps pour qu'une histoire d'amour s'achève. Malgré l'évidence, on garde au fond de soi l'espoir que tout n'est pas fini. Et je suis trop honnête pour avoir deux relations en même temps.

Ce jour-là, à La Fureur, on avait préparé une émission spéciale pour l'Halloween.

Dans la salle de maquillage, les invités étaient transformés en personnalités du monde de la musique. Des heures

de torture où il fallait être patient, pour des résultats mé-
diocres: personne n'a reconnu chez moi la Diane Dufresne
que j'étais devenue! Quant à Richard, on l'avait déguisé en
Marilyn Manson, rocker aux allures terrifiantes, et on lui
avait fait porter sur un œil une prothèse oculaire blanche
qui l'avait fait terriblement souffrir.

Mais pendant cette journée que nous avons passée
ensemble dans les studios de Radio-Canada, nous avons
beaucoup parlé. Je me suis peut-être ouverte un peu plus
que je ne l'aurais dû... Il avait un côté léger qui me faisait du
bien. Et une belle culture générale.

Il avait voyagé... et j'ai toujours trouvé que les voyageurs
ont un je-ne-sais-quoi de sexy! Et son allure marginale, libre,
virile... me séduisait!

Mais, bon... j'étais toujours en couple.

Toutefois, quand il m'a annoncé qu'il allait passer les fêtes
en République dominicaine, je n'ai pu m'empêcher de lui
lancer: «Ce serait quand même drôle qu'on se voie là-bas!»

Et j'ai dû avouer que c'est effectivement une coïnci-
dence qui m'aurait fait plaisir.

***

Pour Noël, encore une fois, je pars vers le Sud.
En République dominicaine.
Avec mes amis Sébastien et Denis.

J'ai connu les Clubs Med. Cette fois, nous habitons un
resort, où je m'ennuie à mourir. Je suis toujours branché sur
la fête. Mes amis, pas du tout. Comme la plupart des vacan-
ciers présents, ils sont là pour se reposer, et c'est ce qu'ils font.

Ils s'amusent, mais raisonnablement!

Je sais qu'Hélène et son chum sont aussi en République
dominicaine.

À côté... à huit heures de voiture à peine!

Et je voudrais la revoir. Même si je respecte sa situation amoureuse. D'ailleurs, je connais son compagnon de vie, et je l'aime bien.

Rien à faire!

Mes copains ne partagent pas du tout mon enthousiasme à l'idée de perdre une journée de vacances le cul dans une voiture!

Tant pis pour moi!

Tout de même, en revenant de ce voyage, je décide qu'il est temps que je m'occupe de moi. J'avais commencé à fumer, J'arrête. j'arrête aussi de boire.

Pour faire la fête, il faut être en bonne santé!

***

Pour la 200ᵉ émission de *La Fureur*, je fais de nouveau partie des invités.

Hélène aussi.

Cette fois, dans un pot-pourri de succès à la mode, nous chantons ensemble. Et je sens bien qu'il y a des étincelles entre nous. Qu'une certaine magie s'opère autour de nous.

Nous avons du plaisir à être ensemble.

Je me souviens aussi que nous faisons partie d'équipes opposées. Si mon équipe gagne, et tout indique que nous allons gagner, Hélène ne fera pas partie des autres émissions... J'essais donc de convaincre mon équipe de perdre!

Peine perdue!

Pourtant, nous sommes déjà tellement «connectés», Hélène et moi, que lorsqu'elle est officiellement éliminée à cause d'une dernière mauvaise réponse, nous oublions complètement que nous sommes à la télévision pour nous jeter dans les bras l'un de l'autre! Un élan de joie difficilement compréhensible puisque nous sommes officiellement des adversaires...

C'est l'animateur du show, Sébastien, qui nous ramène sur terre: «Richard! Hélène!»

Nous regagnons rapidement nos places.

À regret.

Mais nos yeux ne se quittent plus!

***

CHAPITRE 4

PREMIERS SIGNES DE LA MALADIE

En février, j'ai la grippe.

En février, c'est normal.

C'est déplaisant. Mais pas inquiétant.

Même quand ça dure un peu plus longtemps que d'habitude...

En tant qu'auteur-compositeur, j'ai le bonheur d'écrire pour quelques interprètes, dont Ima et Gabrielle Destroismaisons.

On me demande de composer le thème de l'émission *Des kiwis et des hommes* et une nouvelle chanson pour *La Fureur,* deux émissions très populaires de Radio-Canada.

Puis, il y a une troisième rencontre avec Hélène, toujours à Radio-Canada, toujours pour *La Fureur.*

Cette fois, il est évident que son couple ne se porte pas bien. La fin est proche.

Quelques semaines plus tard, Hélène et son ami se séparent.

Le champ est libre.

Nous nous revoyons très vite et, après quelques rendez-vous, il est évident que nous sommes amoureux fous.

***

C'est le printemps.
Quelle saison merveilleuse pour être amoureux!
Et je le suis!
Totalement.
J'adore mon homme!
Il me semble que ma vie n'a jamais été si bien!
J'aime tout chez Richard!
Je le trouve beau. Du cœur à la peau. Recto verso!
Je le trouve pétillant d'intelligence et d'humour.
J'ai envie de vivre avec lui.
Longtemps.
Mon ex-conjoint et moi avions une maison, ce dernier vient d'acheter mes parts. Je veux réinvestir cet argent. Si l'idée sourit à Richard, nous pourrions acheter quelque chose ensemble. Sur le Plateau. Quartier charmant et près de tout: travail et loisirs!

***

Voilà plusieurs semaines que la grippe ne me quitte pas.

Des amis s'inquiètent. Pas moi. Je me dis que c'est une accumulation de fatigue. Que ça va passer.

Hélène s'est loué un petit appartement sur le Plateau-Mont-Royal. Rien d'extraordinaire, le temps de voir venir...

Moi, je suis propriétaire d'un immense condo, que j'ai acheté en 2003. Je ne tarde pas à l'inviter à vivre chez moi. Elle accepte, et je partage bientôt son rêve d'acheter une maison, toujours sur le Plateau.

Un rêve qui se réalise assez rapidement. Une petite maison isolée, parfaitement située, qui n'attendait que nous.

Nous décidons d'en commencer la rénovation dès que nous en prendrons possession, au mois d'août.

J'avais raison: j'ai l'impression que ma grippe est partie.

***

Je pars en tournée, une tournée «acoustique» qui me mènera jusqu'à Natashquan. Beaucoup de plaisir. Beau succès.

Au retour, avec l'aide d'un copain bricoleur, j'entreprends les travaux.

Hélène et moi avons la chance d'habiter encore mon condo. Et nous prévoyons que les rénovations seront complétées dans quatre semaines.

Hélène enregistre à cette époque la série télévisée *Les Bougon*. Elle part tôt le matin pour se rendre sur le plateau de tournage.

De mon côté, je suis à la maison dès 8 h, et je quitte rarement avant 21 h ou 22 h.

Mais nous sommes amoureux, jeunes et ambitieux...

La vie est belle.

Un matin de septembre, je me réveille en sueur. Et je ne veux pas dire que j'ai les aisselles humides! Les draps sont trempés! Même le matelas est mouillé! Comme si j'avais uriné pendant mon sommeil...

Ces sueurs nocturnes reviennent chaque nuit pendant plus d'une semaine.

Je mets ça sur le compte du travail physique intense que m'imposent les rénovations. Mon corps n'y est pas habitué. Il m'en veut... C'est sa façon à lui de protester!

Mais voilà que la fatigue s'installe. Une fatigue qui m'oblige à m'étendre en plein après-midi sur le plancher de bois du deuxième, et à dormir.

Et ces rénovations qui n'en finissent pas!

Les quatre semaines prévues ont passé rapidement. Il faut en compter plusieurs autres à vivre dans la poussière, à faire un travail que je commence à détester et pour lequel, j'en suis persuadé, je n'ai pas été créé!

***

Richard n'allait pas bien.

Et non seulement il ne le cachait pas, mais il disait haut et fort qu'il n'allait pas bien!

Il le répétait plusieurs fois par jour.

Sa souffrance emplissait l'atmosphère!

Au début, je sympathisais avec lui. Je partageais sa douleur. Je m'inquiétais pour lui.

Je lui pardonnais aussi de se plaindre autant, sachant qu'un homme garde toute sa vie un côté «petit garçon», et qu'un homme malade l'est toujours plus qu'une femme. Toutes les femmes savent ça!

Comme je n'arrivais jamais à le rassurer même un tant soit peu, j'ai fini par lui suggérer de prendre des comprimés ou d'aller consulter un médecin. Puis, voyant qu'il continuait de gémir et refusait de se rendre à la clinique médicale, je me suis désintéressée de ses malaises pour me plonger dans le travail.

C'est rapidement devenu très lourd à la maison.

***

Quelque temps plus tard, je décide de louer mon condo.

Les locataires doivent y emménager le 1er octobre.

À partir de cette date, Hélène et moi occupons la maison, dont le rez-de-chaussée, où se trouve la cuisine, est inhabitable. Nous vivons au deuxième, entre les meubles entassés n'importe comment et les montagnes de boîtes de carton. Bien sûr, nous mangeons tous les jours au restaurant.

Je peins moi-même tous les murs et les plafonds de la maison. C'est en peignant que je me blesse, sans savoir comment. Je suis pris d'une douleur aussi aiguë que soudaine à la cage thoracique.

Hôpital.

Radiographie.

Rien!

O.K. Je prends des Tylenol.

Fin octobre, je participe au tournage de *Surprise, sur prise* pour Hélène.

La douleur est omniprésente.

Début novembre, mal de dents.

Une dent, en fait, me fait terriblement souffrir.

Puis, un œil commence à faire des siennes.

Je me dis que c'est à cause de la dent. Puisqu'il nous arrive d'avoir mal aux incisives quand on a les sinus bloqués...

Visite chez le dentiste.

Radiographie.

Rien!

Bon... c'est peut-être à cause de l'œil!

J'appelle une amie ophtalmologue.

Mais non, mon œil n'a rien.

Excellente vision.

Rien!

Un autre médecin à qui je demande de vérifier mes oreilles (on ne sait jamais... c'est près de l'œil et des dents!) me rassure en me disant que je suis sans doute stressé et me prescrit des relaxants musculaires.

Une semaine plus tard, les maux de tête s'ajoutent à mes malaises. Je ne sais toujours pas ce qui m'arrive. Je me bourre de Tylenol.

C'est à ce moment qu'on m'invite à participer à l'émission *Le match des étoiles*.

Encore du travail physique! Quand on a mal, ce qui devrait être un plaisir, exténuant mais un plaisir quand même, se métamorphose en torture.

Puis, un jour où, malgré le froid, j'ai pris mon scooter pour aller à Radio-Canada, je rentre chez moi pour me rendre compte qu'une partie de mon visage est engourdie, presque insensible.

Autre rendez-vous chez le docteur.

Il commence à croire que c'est, tout simplement, une inflammation du nerf trijumeau. (Dans *Le Robert*, on peut lire ceci: «cinquième nerf crânien qui innerve la peau de la figure, la langue, et se divise en trois branches: nerf ophtalmique, nerfs maxillaires supérieur et inférieur.»)

Ça semble tout à fait logique!

Et, en allant sur Internet, j'apprends que c'est un malaise fréquent, commun même, chez les hommes au début de la trentaine.

Je suis bien heureux de savoir tout ça, mais les maux de tête ne semblent pas impressionnés par la science puisque, en décembre, ils sont d'une violence insoutenable. Et les Tylenol, même à forte dose, n'ont plus aucun effet.

Le jour de l'enregistrement du *Match des étoiles*, dès l'instant qui suit la répétition avec caméras, j'ai d'horribles nausées. J'ai l'impression que je vais me vomir le cœur!

Otis Grant, le boxeur, fait aussi partie de l'émission. Inquiet, il s'approche de moi et me dit qu'il soupçonne un problème sanguin. Il me suggère de manger quelque chose, du sucre si possible. Et d'aller consulter au plus vite!

À la cafétéria, j'avale des noix et un jus de fruits.

La deuxième répétition se passe mieux.

Après, j'appelle Hélène pour lui demander de m'apporter deux bouteilles de Guru, une boisson énergétique, et je me couche en l'attendant. Je dors quatre heures!

C'est Hélène qui me réveille.

Je bois mes Guru et je danse.

C'est la dernière émission de télé que j'enregistre.

Dans les jours suivants, j'annule tous les engagements qui figurent à mon agenda.

***

Il est maintenant évident que quelque chose ne va pas avec Richard.

Et, s'il est épuisé, je n'en mène pas large non plus! Moi aussi, j'ai vécu le stress et l'inconfort des rénovations. Je travaille comme une folle. Répétitions et enregistrements se succèdent à un rythme fou.

Moi aussi, j'ai de petits malaises. Des inquiétudes. Et je vis tout ça dans une solitude profonde, parce que toute l'attention de celui qui devrait être mon compagnon de vie est dirigée vers lui-même.

Le monde tourne autour de lui! Et... c'est normal: nous sommes tous les deux de plus en plus angoissés par ses symptômes. La lourdeur se fait de plus en plus sentir.

Jusque-là, je n'ai pas fréquenté la maladie. Je suis en santé. Nous étions en santé dans ma famille.

La maladie me dérange! Je me sens impuissante et je me demande s'il n'en rajoute pas un peu...

Je déteste voir ce grand corps étendu sur le divan en plein après-midi.

Je déteste entendre les mêmes jérémiades jour après jour, heure après heure.

Je m'ennuie de l'homme que j'ai connu et aimé.

Et désiré comme il me désirait!

Depuis des semaines, le désir est mort entre nous...

Je me demande combien de temps l'amour peut durer sans désir...

Je déteste la maladie.

Parce que si elle ronge le corps de celui que j'aime, elle me ronge aussi, d'une autre façon.

Je sais que je manque de compassion.

De tolérance.

Mais j'en suis au point où je n'ai même plus envie de rentrer à la maison après les longues heures de travail.

Un immense nuage gris sale s'est installé en permanence au-dessus de la maison. Que le soleil, aussi brillant soit-il sur le reste de la ville, n'arrive plus à traverser.

Je vois venir Noël sans aucun enthousiasme.

Sans la moindre perspective de joie.

***

Le temps des fêtes arrive.

Mes rendez-vous avec les médecins devront attendre janvier.

Un premier avec un neurologue.

Un second avec un spécialiste des articulations maxillaires.

Je passe les fêtes chez mes parents.

Petit réveillon intime.

Puis, Hélène part dans sa propre famille.

Entre Noël et le jour de l'An, je ressens des crampes à l'estomac. Rien à voir avec l'alcool, puisque je suis incapable d'en boire! Je dois donc admettre que je m'alimente mal, un peu par manque d'appétit, un peu par manque d'intérêt, parce mes nombreux malaises me demandent beaucoup d'attention et qu'il faut avoir l'esprit tranquille pour manger avec plaisir.

Mes autres malaises sont toujours présents: rage de dents, maux de tête, œil qui louche...

Je suis inquiet, mais tellement convaincu qu'il s'agit du nerf trijumeau que je refuse de me laisser aller à la panique.

Les crampes sont de plus en plus douloureuses. Je bouffe des Rolaids.

Ça ne sert à rien.

Janvier.

Neurologue.

Il me prescrit des médicaments censés calmer la tension des nerfs.

Un soir, à la maison, vers 10 h, Hélène monte se coucher. Je reste devant la télé, en proie à des douleurs au ventre insupportables.

J'ai mal au cœur.

Un goût de sang dans la bouche.

Une envie de vomir pressante.

Les toilettes sont au deuxième.

Je cours.

Dans l'escalier, ma vision se trouble.

Je tombe.

Je rampe.

J'arrive à la salle de bains, je m'accroche à la cuvette et je vomis.

Du sang!

«Hélène! Hélène!»

Elle est là.

«9-1-1, s'il te plaît, 9-1-1. Ambulance!»

CHAPITRE 5

LA DÉCOUVERTE
DU CANCER

Les ambulanciers n'arrivent pas à prendre mon pouls.

Mais je suis conscient de tout ce qui m'arrive et je m'exprime avec clarté pour raconter ce que je viens de vivre. J'ai seulement un léger pétillement dans les oreilles, comme celui que fait une boisson gazeuse fraîchement versée.

On m'emmène.

Hôpital Notre-Dame.

À l'urgence.

Prise de sang.

Faible taux d'hémoglobine.

Un médecin me demande si j'ai mal au cœur. Si j'ai des nausées. Envie de vomir.

«Oui!»

Il me tend un seau. J'y verse trois litres de sang.

Quelques minutes plus tard, je suis transfusé, intubé de partout.

Un gastroentérologue est appelé d'urgence.

On m'introduit une caméra dans l'estomac.

On y découvre cinq ulcères. Aorte perforée à deux endroits. Mon sang coule directement dans mon estomac.

C'est sérieux!

On m'endort.

Toute une équipe s'affaire à stopper l'hémorragie.

Je me réveille plusieurs heures plus tard.

Je me suis souvenu qu'en décembre, j'ai remplacé les Tylenol par de l'aspirine... Un corrosif pour les parois stomacales! Les anti-inflammatoires prescrits par le neurologue étaient également contre-indiqués. Je me nourrissais mal. Bref, mon pauvre estomac a été plus que malmené, il a subi de très·mauvais traitements, et les blessures qui en résultent auraient pu s'avérer irréparables.

Toutefois, le gastroentérologue trouve toute cette histoire suspecte. Je dois donc passer quelques jours à l'hôpital pour subir des examens supplémentaires et des tests de toutes sortes. On fait une biopsie des tissus prélevés dans mon estomac.

Mon neurologue m'ayant aussi prescrit un test d'imagerie par résonance magnétique au cerveau, j'y ai droit, mais on évite de mettre du colorant dans mon sang. Le résultat s'avère négatif.

Aucune trace de sclérose en plaques.

Aucune trace de cancer.

Bonnes nouvelles!

***

Retour à la maison.

La tête pleine de doutes, évidemment, mais quand même heureux de retrouver mon espace et mon intimité.

Hélène travaille beaucoup.

Nous nous voyons peu. Et les moments que nous passons ensemble ne nous réunissent pas vraiment.

Le ton monte entre nous.

Elle n'arrive pas à croire que je suis aussi mal en point que je le prétends.

Devant ses impatiences, je suis parfois cruel:

«Je voudrais pouvoir te transmettre mon mal de tête: tu saurais ce que j'endure!»

Elle répond d'un air incrédule: «Prends tes Tylenol.»

Alors que j'ai déjà avalé plus que la dose quotidienne recommandée...

Et elle quitte la pièce.

Ou la maison.

Et je reste seul avec mon mal.

Fin janvier, je décide d'aller passer quelque temps chez mes parents. Histoire de donner un break à Hélène, qui se sent un peu perdue devant ce qui m'arrive. Qui partage ma souffrance sans trop la comprendre.

Sans savoir quand ça s'arrêtera!

Je me dois de la libérer du poids de ma présence. Elle est en santé. Pas question qu'elle tombe malade!

Je sais que nous nous aimons, même si nous avons cessé de nous le dire, même si notre amour est, jusqu'à un certain point, pris en otage par cette maladie qui me tue et que je ne peux nommer.

Je suis également tout à fait conscient que cette igno-rance, cette incertitude, cette inquiétude me rendent om-brageux et irritable.

***

J'enregistrais la série Annie et ses hommes.
Je travaillais beaucoup.
Et j'étais heureuse de travailler pour plusieurs raisons.
Dans les studios, les salles de répétition, sur un plateau de télévision, nous vivons hors du temps. Nous sommes les

personnages d'un monde irréel, plus beau ou plus laid que nature, mais un monde protégé de la vraie vie, loin de la vraie vie. Et la vraie vie, à ce moment-là, n'avait rien de bien joyeux à m'offrir.

Le showbiz est un monde qui nous habite autant que nous l'habitons.

Un monde que j'ai choisi, qui m'a accueillie, où j'occupe une place privilégiée; un monde que j'aime follement.

Au travail, j'étais entourée de gens que j'adorais: comédiens, réalisateurs, créateurs de toutes sortes qui posaient sur la vie un regard plein de passion, de rêve, d'ambition.

À la maison, l'homme que j'aime, créateur, ne crée plus. Passion, rêve, ambition l'ont quitté des mois plus tôt.

Je sais qu'il ne ment pas quand il dit qu'il souffre.

Mais je n'en peux plus de sa souffrance!

Je me traite d'égoïste.

Je me dis que je dois être présente à ses côtés.

L'aider. L'encourager...

Mais quand je nous regarde, j'en veux à l'existence... Elle n'a pas duré longtemps, notre lune de miel! Cette impression d'apesanteur qui soulevait la bulle où nous vivions notre nouvel amour. Cette folie qui caractérise un amour neuf.

C'est déjà fini!

Un instant, nous avions trente et quelques années.

L'instant d'après, nous en avions soixante-quinze: nous vivions à un rythme tellement ennuyeux, tellement «plate», une vie sans sorties, sans rires. Nous ne recevions plus personne. La maison était pleine de silence, de douleur et de désarroi.

***

Mes parents prennent la relève. S'occupent de moi.

Essayent de me transfuser de la joie et de l'espoir.

Ils me cachent leur inquiétude. M'encouragent.

Mais je ne suis pas au bout de mes peines.

Un jour, j'ouvre les yeux pour me rendre compte que je vois double. Mes yeux refusent de se focaliser!

Mon père trouve la réponse à mon problème sur Internet.

Il s'agit tout simplement d'un des effets secondaires les plus répandus d'un médicament que le neurologue m'a prescrit.

J'appelle le neurologue, qui me suggère de réduire la dose que je prends quotidiennement.

Une semaine passe sans que je constate la moindre amélioration.

Je suis de retour chez le neurologue, qui découvre que l'un de mes yeux est paralysé. Il m'annonce que je dois le plus tôt possible faire mon entrée à l'Institut de neurologie de Montréal:

«Je m'en occupe. Rentre chez toi. Prépare ta valise. Ma secrétaire t'appellera.» Évidemment, je ne m'y rendrai jamais.

Au coucher, je sens sous mes doigts comme un renflement sur mon bas-ventre. Comme si j'avais un pois sous la peau. Le lendemain matin, je me rends compte qu'une petite bosse de la grosseur d'une bille, juste sous le nombril, a poussé pendant la nuit.

Je réveille Hélène:

«Hélène... ça ne va pas du tout...»

«C'est certainement lié à tes ulcères. T'inquiète pas. On te soigne.»

Mais, ce matin-là, quelque part dans ma tête, mes doutes se transforment en une certitude profonde:

«Je pense que j'ai un cancer.»

Le lendemain, comme je n'ai toujours pas de nouvelles des examens que j'ai subis lors de mon passage à l'urgence de l'hôpital, j'appelle le gastroentérologue, à qui j'ai l'intention de poser des questions sur la bille qui me «décore» le bas-ventre.

Je laisse un message sur sa boîte vocale.

Vingt minutes plus tard, mon téléphone sonne:

«Viens tout de suite me voir. Tout de suite.»

Mon père m'accompagne. Direction hôpital Notre-Dame.

La biopsie est positive.

Le médecin ne prend pas de détour:

«C'est un cancer.»

Le mot que je craignais tant a été prononcé.

Je demande:

«Est-ce que ça se soigne?»

Il répond:

«Ce sera difficile.»

Je demande:

«Est-ce que je vais vivre?»

Il hésite un peu, puis:

«Ce sera difficile.»

Puis, avant que j'aie le temps de réagir, il ajoute:

«Monte au quatrième étage, un confrère oncologue t'attend.»

***

Salle d'attente.

Vingt-cinq ou trente interminables minutes d'attente.

Je suis comme un boxeur qui se ramasse au tapis, complètement K.-O.

L'image qui me vient à l'esprit, quand je repense à mon père ce jour-là, c'est celle d'un garde du corps. Cool. Un peu distant. Comme détaché de la situation.

Il me rassure à voix basse en me disant qu'un oncologue est un spécialiste du cancer. Que je suis entre bonnes mains.

Mais rien, à ce moment, ne pourrait me rassurer.

On vient finalement me chercher et on m'installe dans une petite pièce toute blanche.

En oncologie, le spécialiste qui est de garde le jour de notre entrée devient notre médecin pour toute la durée de nos traitements. Ce jour-là, je rencontre le Dr Normand Blais pour la première fois.

Il m'apprend que dans les jours qui viennent, on me fera subir plusieurs tests afin de dignostiquer très précisément le mal dont je souffre. Une fois cette première étape complétée et réussie, alors, et alors seulement, les traitements pourront commencer.

Les questions que j'ai posées plus tôt me brûlent de nouveau les lèvres.

«Est-ce que ça se guérit? Est-ce que je vais vivre?»

Tout ce qu'on me répond, c'est que, pour l'instant, on ne peut pas me répondre. On m'explique qu'il existe des centaines de cancers et que chacun exige un traitement particulier.

Et quand je parle de mon œil, de ma joue toujours «gelée», de ma dent qui fait si mal, le Dr Blais me dit:

«Tout est lié. C'est bien le cancer, le même cancer, qui est la cause de tous ces malaises.»

Je demande:

«Et maintenant, qu'est-ce que je fais? Je rentre chez moi?»

«Oh, non! On vous garde!»

Si ma mémoire est bonne, dans l'heure qui a suivi cet entretien, j'ai eu droit à un premier test: une biopsie de la moelle osseuse...

Sous anesthésie locale, bien sûr. Donc, normalement, sans douleur. Mais c'est quand même une «carotte» que l'on m'a extirpée d'un os du bassin, et je jure que j'ai senti des craquements et des grincements de chambre de torture!

Je suppose que c'est pendant ce temps-là que mon père a téléphoné chez moi pour parler à ma mère, qui y était depuis le matin, et à Hélène.

Sixième A-B.

Corridor.

Huit chambres.

D'isolation.

À osmose inversée.

Portes électriques qui, lorsqu'elles s'ouvrent, ne laissent pénétrer aucun courant d'air. Aucun contaminant n'en franchit le seuil.

***

J'étais chez nous avec la mère de Richard.

Je revenais d'un tournage pour lequel j'avais utilisé toutes mes réserves d'énergie, parce que l'image de Richard occupait chaque cellule de mon cerveau, chaque parcelle de mon cœur, et qu'il fallait quand même que j'aie des étoiles dans les yeux pour les caméras.

Nous étions toutes les deux inquiètes et fébriles, en attendant le retour de nos hommes.

Le téléphone a sonné, et le père de Richard nous a demandé d'aller le retrouver à l'hôpital. Il n'a rien dit d'autre.

Pas un mot pour calmer notre angoisse, qui s'est rapidement transformée en panique!

Quand nous sommes arrivées sur les lieux, on nous a fait patienter dans une pièce claire et presque vide, à l'exception d'un bureau, de deux ou trois chaises et d'une plante verte qui souffrait dans son pot.

Comme si nous avions droit à une salle d'attente privée.

C'est le père de Richard qui a prononcé en premier le mot désespérant qui nous faisait si peur.

Puis, après les deux ou trois tests qu'on lui avait fait passer, Richard nous a rejoints.

Il m'a prise dans ses bras. En silence. Et nous nous sommes collés l'un contre l'autre.

Je crois sincèrement que ce jour-là, nous avons eu le sentiment d'avoir traversé de l'autre côté d'un mur jusque-là infranchissable: nous connaissions maintenant le nom du démon. Il fallait trouver l'exorciste.

***

Hélène et maman sont aussi K.-O. que moi. En état de choc.

Mais je vois clairement à quel point ces êtres m'aiment. Ce sont véritablement «les miens». Et, effectivement, maintenant que le mal est découvert, nous ressentons tous une sorte de soulagement.

Le médecin résident est d'une extrême gentillesse et répond aimablement à toutes les questions qui se bousculent dans nos têtes. Il passe près d'une heure avec nous.

Je finis par demander:

«Je vais rester ici combien de temps?»

Il me répond:

«Tu en as pour un bon bout!»

Dans toute ma vie, je n'ai connu de l'hôpital que les trois jours passés à l'urgence. Je m'imagine mal m'installer dans une chambre anonyme, loin de chez moi, loin d'Hélène, privé de mon confort et de mes objets familiers, dans des genres de limbes intermédiaires entre la vie d'avant et l'inconnu d'après.

Et pourtant, j'éprouve une sorte de soulagement devant cette perspective. Et je crois que ce soulagement est ressenti par tout le monde. Je sais que je serai en sécurité. Que je n'aurai pas à imposer mes malaises et mes humeurs à ceux que j'aime.

Hélène et mes parents passent le reste de la journée avec moi.

À 23 h 30, une infirmière vient leur demander de quitter. Papa et maman s'en vont.

Je regarde Hélène:

«Peux-tu, s'il te plaît, rester avec moi?»

L'infirmière s'y oppose aussitôt:

«Les règlements...»

Je l'interromps:

«Heille! Si quelqu'un essaie de la sortir d'ici, je lui «câlisse une volée»!»

Hélène est restée.

Elle s'est étendue près de moi, dans l'étroit lit blanc.

J'ai retrouvé la fille que je croyais avoir perdue. Qui me manquait si fort depuis tant de jours.

L'autre, l'indifférente, la glaciale, la cinglante, l'impatiente, l'intolérante, s'est évanouie à jamais.

Et, aussi incroyable que cela puisse paraître, nous avons dormi.

***

Cette nuit-là a été la première nuit de notre réunion.

Alors que depuis si longtemps, nous vivions comme des colocs qui s'endurent, que nous devenions de jour en jour plus étrangers aux besoins et aux désirs de l'autre, que nous nous apprêtions à franchir le point de non-retour de notre histoire, et sans doute, à nous séparer, voilà que dans cette chambre froide, dans ce lit inconfortable, je retrouvais la tendresse et la chaleur du début de nous deux.

Et le regard amoureux de Richard.

***

CHAPITRE 6

L'ANGOISSE
DES EXAMENS

Le lendemain matin, tout de suite après avoir quitté Richard, à regret, je suis rentrée à la maison et j'ai téléphoné à mes parents, à Gatineau.

À partir de ce jour, et pour toute la durée de l'hospitalisation de Richard, tous les matins vers 7 h, ma mère et moi avions rendez-vous au téléphone. Mes parents ont été très présents, même de loin, et leur amour m'a beaucoup aidée.

Maman est infirmière. Elle s'est avérée une alliée extraordinaire dans ma compréhension de la maladie, et m'a donné quantité de conseils utiles, surtout quand Richard avait ses «congés» et que je me transformais moi-même en infirmière.

***

À 9 h, mardi matin, je passe déjà un premier test: une résonance magnétique. Histoire de confirmer ou d'infirmer les résultats obtenus par l'examen que j'avais passé deux semaines plus tôt.

C'est un examen qui dure de 30 à 45 minutes, composé de 4 à 10 séquences, chacune d'une durée de 2 à 8 minutes.

Chaque séquence «photographie» une section de la tête, du cou, de la colonne vertébrale. Il est souvent nécessaire d'injecter un produit de contraste par intraveineuse pour accentuer la visibilité de certains tissus ou vaisseaux sanguins, ce qu'on n'avait pas jugé bon de faire la fois précédente.

C'est un examen sans douleur, plutôt relaxant, puisque je suis couché sur une table qui, on dirait, glisse dans un appareil métallique semblable à un immense anneau à l'intérieur duquel sont installées les «caméras».

La seule contrainte est qu'il faut rester parfaitement immobile.

À 13 h, j'entre en radiologie pour un «scan».

L'examen au scanneur (ou tomodensitomètre... eh oui!) se fait à l'aide d'une machine qui ressemble à celle qu'on utilise pour la résonance magnétique. Il s'agit de rayons X qui réalisent des images en coupes fines de notre corps. Le produit de contraste injecté est à base d'iode, laisse un léger goût de métal dans la bouche et crée une impression de chaleur dans certains organes. Ici encore, il faut demeurer immobile, jusqu'à retenir sa respiration quand les clichés sont pris.

Comme c'est le cas pour le test de résonance magnétique, tout se passe sans douleur.

Plus tard, dans ma chambre, on m'apprend qu'avec le scanneur, on a découvert une masse de chair dans mon abdomen. Elle s'appuie contre mes organes et les comprime.

Tous les membres du corps médical qui m'entourent sont étonnés que je n'aie pas mal au ventre:

«Aucune douleur?»

«Aucune!»

Quant au test de résonance magnétique, il révèle l'apparition d'une minuscule tumeur dans la boîte crânienne.

Mercredi matin, un neurologue me rend visite.

J'ai droit à ma première ponction lombaire!

C'est un examen qui consiste à analyser le liquide céphalo-rachidien, liquide dans lequel baignent le cerveau et la moelle épinière. Pour l'analyser, il faut évidemment le prélever...

La ponction lombaire est, je crois, l'examen le plus intimidant que j'ai subi.

Tout d'abord, je dois me mettre en position fœtale, sur le bord du lit, un coussin entre les jambes, le bas du dos nu, de façon à ce que le massif rachidien, voisin du coccyx, soit visible et accessible.

Anesthésie progressive locale. La peau d'abord. Puis un peu plus profondément, et ainsi de suite.

Alors, avec une énorme (vraiment énorme!) aiguille creuse, le médecin, entre deux vertèbres spécifiques, perce la membrane des méninges, qui se termine au bout de la moelle épinière, et retire quelques gouttes de liquide. Un liquide qui, lorsqu'il est sain, est clair comme de l'eau de source.

Un examen d'une extrême précision, où la douleur est possible, et parfois intolérable, si le médecin rate son coup, ce qui, paraît-il, arrive rarement.

(On dit aussi que les personnes «enveloppées» sont plus sujettes à la douleur que les «grands secs» comme moi.)

Ce jour-là, tout s'est bien passé. Mais le médecin a tout de suite constaté que le liquide contenu dans sa seringue n'était pas beau.

Des ponctions lombaires, on m'en fera 14 au cours de mon hospitalisation.

Un peu après midi, avec mon père et mon meilleur ami, Sylfranc, je me rends à l'Hôtel-Dieu.

Pour une TEP, ou tomographie par émission de positrons.

Médecine nucléaire.

Encore un test d'imagerie médicale, qui permet de mesurer une activité métabolique en trois dimensions.

Pour en expliquer simplement le principe, je dirais que ça ressemble à ce film de science-fiction où l'on injecte un sous-marin miniaturisé dans le corps d'un homme. Grâce à l'émetteur qu'il contient, on peut suivre son parcours à travers chaque organe. Ici, on injecte un sucre radioactif qui a pour but de faire réagir les cellules cancéreuses, et ce sont ces réactions, cette activité organique, qui sont captées et numérisées par des appareils d'une grande sophistication.

C'est un test très long, épuisant. Je ne rentre à Notre-Dame qu'en fin d'après-midi, heureux de revoir Hélène et maman, qui nous attendent.

Je passerai cette nuit-là seul.

Plusieurs contrats occupent Hélène, dont l'enregistrement du *Match des étoiles*, particulièrement difficile, et je ne veux pas qu'elle hypothèque sa propre santé pour m'encourager à recouvrer la mienne.

Je dois insister pour qu'elle prenne soin d'elle et ne laisse rien tomber.

Effectivement, elle ne laissera rien tomber...

Ni ses engagements ni moi!

J'occupe une chambre privée. Mes microbes ne demandant pas mieux que d'aller se faire de nouveaux amis, on s'assure que je suis bien isolé!

Dans cette chambre, il y a un téléviseur. Et la télévision, qu'on l'aime ou qu'on ne l'aime pas, quand on est seul dans une chambre, c'est une compagne drôlement appréciée!

Ma télé à moi, c'est un modèle de 1976 (juré!). Quinze pouces. Sans télécommande. Ou plutôt si, il y a une télécommande: son fil, relié à la télé, est à la tête de mon lit. Il s'agit d'une petite boîte beige qui contient le haut-parleur, sur laquelle un bouton me permet de changer de chaîne... en montant. SEULEMENT en montant. C'est-à-dire que si par malheur je «passe tout droit» et ne m'arrête pas au bon poste, je dois continuer jusqu'à revenir à la chaîne numéro 1 et recommencer. Ce n'est pas commode.

Mais ce n'est pas le plus terrible.

Le pire, c'est que les patients doivent payer 8 $ par jour la location de cet appareil à une compagnie X qui fait affaire avec l'hôpital. Un *racket*! Un vol inqualifiable! Et un luxe que plusieurs patients, j'en suis certain, ne peuvent tout simplement pas s'offrir.

Il va de soi que j'ai en tête, dès que je serai plus à l'aise dans mes quartiers, de remédier à cette situation... Déjà que je ne vois toujours que d'un œil à la fois, j'ai bien l'intention d'avoir un écran un peu plus grand et plus «confortable» pour le regard.

Pendant ces premiers jours, papa et mon ami de toujours, Sylfranc, ne me quittent que le soir venu. Maman garde le phare, cuisine pour tout le monde, s'occupe du ménage et de la lessive. Elle prend soin d'Hélène qui, de son côté, est plus active et en demande que jamais (elle enregistre l'émission *Annie et ses hommes*, entre autres choses), mais ne manque pas de me retrouver dans ma chambre tous les soirs pour passer un long moment avec moi.

Les résultats des tests apportent enfin des renseignements sur la maladie.

La lumière se fait.

La masse qui a fait son nid dans mon corps touche la membrane des méninges à la base de la colonne vertébrale. Le liquide céphalo-rachidien est contaminé. Mon cerveau baigne dedans. Le nerf optique est touché. Le fameux nerf trijumeau.

Les nouvelles sont loin d'être bonnes.

Et la peur commence à s'installer.

J'imagine que toute une armée d'agresseurs s'est attaquée à mon organisme. Des troupes ont déjà fait des dommages à l'intérieur de mon abdomen. D'autres s'installent dans ma tête. Préparent stratégie et munitions. Des éclaireurs sont envoyés aux quatre coins de mon corps.

Quand cette armée destructrice avait-elle prévu en finir une fois pour toutes avec Richard Petit?

Était-ce une question de jours? De semaines?

***

1ᵉʳ février 2006.

Il est très tôt ce matin-là, je suis dans ma voiture, en direction de Longueuil, pour retrouver le plateau de tournage d'Annie et ses hommes.

Mon cellulaire sonne.

C'est mon frère, qui m'annonce que son deuxième enfant vient de naître! Accouchement sans anicroche. Un bébé en santé.

Je suis si heureuse pour lui et sa femme.

Et pour cet enfant qui vient au monde.

Je suis éblouie par la vie! Si belle. Si forte.

Je raccroche en étant remplie de pensées positives.

Plus tard, je suis dans les loges. On vient de faire les dernières retouches à mon maquillage, à mon costume. Ce sera à moi dans quelques minutes.

Juste le temps de prendre mes messages.

Parmi ceux-ci, il y en a un de Richard, qui m'annonce que tout se précise. Et me fait part des précisions...

J'apprends que mon amour a un lymphome et que le cancer est très avancé. Il a touché son cerveau, ses reins, pra-

tiquement tous les ganglions de son corps. Mes jambes fléchissent sous le choc de la nouvelle.

«Hélène, c'est à toi!»

(Plus tard, plusieurs mois après la guérison de Richard, je repenserai à cette journée. Et je serai renversée par la force de l'être humain, capable de voyager, en quelques heures, du paradis à l'enfer. Du bonheur au malheur. De la lumière la plus aveuglante au noir le plus total.)

***

J'avoue que pendant ces premiers jours à l'hôpital, j'ai le moral bien lourd. Et très peu de forces pour le soutenir.

Je ne vois que du noir!

Je vis un cauchemar. Je suis enlisé dans la boue toute noire d'un cauchemar. J'ai l'impression d'être enfermé quelque part dans une totale obscurité et cherchant une fenêtre, une porte, tout en sachant que si jamais je trouve cette fenêtre ou cette porte, elle s'ouvrira sur l'acceptation de ma mort. Mais je ne trouve pas.

Avec un médecin résident, j'ai eu une longue conversation qui n'a mené nulle part. J'ai posé des dizaines de questions qui sont restées sans réponses. Y compris cette question que j'ai posée tant de fois:

«Vous, docteur, qui avez vu tant d'hommes et de femmes faire face à la mort, qui en avez certainement vu mourir, pouvez-vous me dire comment on fait pour accepter la mort?»

Il n'a su que répondre tristement:

«Je ne sais pas.»

Une autre question m'est venue. Que je ne posais qu'à moi:

«Qui?»

Qui m'aidera à traverser de la vie à la mort? Est-ce que je peux demander ça à Hélène? À mon père? À ma mère? Impossible! Je ne peux absolument pas exiger d'eux qu'ils partagent cet ultime moment avec moi!

Comment leur dire: «Aidez-moi à mourir!»

Ils veulent que je vive!

Je ne peux demander cette faveur qu'à un seul être humain, sans savoir s'il acceptera de me donner ce dernier coup de pouce...

Mon meilleur ami. Encore lui.

Sylfranc!

À Sylfranc, je dis:

«Je suis allé à Kaboul. Au Timor oriental. Des bombes tombaient autour de moi. J'ai couru des risques énormes, dans des endroits que la mort fréquentait quotidiennement. Et j'en suis sorti vivant.

J'ai consommé des drogues pas très recommandables. J'en ai parfois abusé. Et j'ai survécu.

J'ai voyagé en avion, en train, en moto... Pas le moindre accrochage! Sylfranc, écoute-moi... je n'ai pas envie de mourir sur la rue Sherbrooke, dans une chambre d'hôpital. Je ne veux pas pourrir dans mon lit. Perdre la tête. Me transformer en légume! Sylfranc, as-tu vu *Les invasions barbares?*»

«Non.»

«Ce soir, tu vas louer le film.»

«Richard...»

«Tu vas louer le film! Je n'ai pas envie d'être des mois sur le quai de la gare, sans savoir quand le train va passer. Je n'ai pas envie d'être inconscient du fait que mon corps s'accroche à la vie et conscient de vos paroles de pitié et de vos vœux de «bon voyage» vers un bon Dieu auquel je ne crois pas. Je ne veux pas qu'on décide à ma place du «comment» et du «quand». Tu me connais mieux que personne. Tu me comprends, Sylfranc?»

Je sais que Sylfranc a tout compris.

**

Troisième jour. Jeudi.

On m'annonce que nous allons entreprendre un *chop*, mot anglais qui signifie «couper». Il s'agit d'un régime de chimiothérapie, appelé «coup de hache», utilisé dans le traitement du lymphome de Hodgkin.

Ce traitement, évidemment, suppose que l'on va m'injecter des poisons divers, qui auront un effet quelconque sur la qualité de mon sang, et on me dit ceci:

«Si tu as l'intention d'avoir des enfants un jour, il faudrait que tu penses à faire congeler du sperme maintenant. Euh... aujourd'hui, en fait. Parce qu'une fois la chimio commencée, il sera trop tard.»

On m'apprend aussi que pendant la première année suivant ma chimio, je serai infertile et que j'ai 20 % des chances de le rester.

J'ai donc appelé une clinique Procréa, un centre de fertilité, pour demander quoi faire dans ma situation. C'était simple. Je pouvais leur expédier mon sperme. Pour être certain qu'il arrive en bon état, la clinique devait le recevoir dans les 45 minutes suivant l'éjaculation.

Encore fallait-il que j'éjacule!

Je suis malade et inquiet.

Papa et maman sont dans le corridor, devant ma porte.

Sylfranc est là...

Son amitié est sans limites.

Il accepte de faire la commission.

Il sort de la chambre le temps que je fasse le nécessaire.

Bon... Pas facile!

Je crois en la mécanique de certaines parties du corps humain, mais cette partie-là est intimement liée à mon cerveau, et les idées qui habitent celui-ci depuis quelques jours n'ont rien d'érotique.

Je ne saurai jamais comment... mais ça fonctionne!

Sylfranc revient. Prend le petit pot contenant ma progéniture. Le met sur sa poitrine, sous son chandail.

Enfile son manteau (nous sommes en février!).

Court jusqu'à la clinique.

À peine 30 minutes plus tard, un appel téléphonique de Procréa m'assure que 70 % de mes petits frétillent de santé!

***

Plus tard, ce même jour, alors que je m'entretiens de choses et d'autres avec ma mère et mon père, on frappe à ma porte.

C'est le Dʳ Blais, qui lance bien fort:

«Guérison totale!»

Incrédule, je fais:

«Quoi?»

Il répond en souriant:

«On vise une guérison totale!»

Et il ajoute:

«Dans le sac à cancers, tu as pigé le meilleur!»

«Et qu'est-ce que c'est?»

«Un lymphome. Un cancer des ganglions, du système immunitaire.»

Le corps humain est constamment menacé par des germes de toutes sortes. Il est en état de défense continuel. Il repousse sans cesse des envahisseurs qui mettent la santé en péril. Pour ce faire, il dispose d'un système immunitaire composé d'anticorps, de cellules immunitaires (comportant plusieurs types de globules blancs) et d'organes appelés «lymphatiques», comme les ganglions.

Le système lymphatique a des ramifications dans tout l'organisme. Les lymphomes peuvent donc se développer n'importe où.

Le Dr Blais m'apprend que celui qui me préoccupe est le même que celui qu'a eu Saku Koivu!

(Saku Koivu, après sa chimio, a joué sa meilleure saison de hockey.)

Je ressens alors, étrangement, comme un apaisement très doux de toute ma colère, de toute ma peur.

On vient de découvrir la maladie!

Je me bats depuis le début avec l'homme invisible. Voilà des mois qu'il m'attaque sans que je puisse riposter. Qu'il m'est impossible de me défendre. De rendre coup pour coup afin de me débarrasser de lui avant qu'il me tue.

Ce combat inégal est sur le point d'être rééquilibré.

On s'apprête à me donner des armes.

Des alliés sont prêts à se battre avec moi.

Je reçois ma première chimio le soir même. Ou plutôt, une «chimio préparatoire». La vraie, la costaude, ne commencera que le lundi suivant.

Je passe au bistouri: sous anesthésie locale, on me débarrasse de la «bille» qui me «défigure» le ventre!

***

CHAPITRE 7

LE SOUTIEN DES MIENS

Sur le même étage, dans une chambre voisine, un homme en est à sa dernière journée d'hospitalisation. Mon père a fait sa connaissance alors qu'il se promenait dans le corridor. Ce patient lui a remis, à mon intention, un texte de Pierre Foglia sur Lance Armstrong, champion cycliste qui, après avoir guéri d'un cancer des testicules, a remporté sept fois le Tour de France.

Cet homme s'appelle Charles Johnston.

Il a mon âge. Et souffre d'un cancer semblable au mien. Un lymphome de Burkitt.

C'est ce soir-là qu'il frappe à la porte de ma chambre.

Sylfranc et mon frère, Martin, sont avec moi. Nous sommes branchés sur la partie de hockey.

Comme il n'a pas la télé, j'invite Charles à rester avec nous.

Évidemment, nous sommes tous curieux de savoir ce qu'il a vécu et comment il s'en sort.

J'apprends que son lymphome se soigne exactement comme le mien. Que les premier et deuxième cycles de traitements se passent bien. Que le troisième est beaucoup plus pénible. Que l'apparition de champignons dans sa bouche est ce qu'il a le plus détesté.

Et, surtout, qu'il se sent bien.

Je sais depuis que les médecins s'accordent pour dire que ce genre de cancer n'a pas de mécanismes de défense. Personnellement, je le vois un peu comme un chevalier de l'époque médiévale qui serait venu vers moi dans son armure, l'air menaçant, une épée dans une main, une massue dans l'autre. Or, en me plaçant derrière lui, j'aurais pu voir qu'il était nu et vulnérable.

***

Ce même mercredi, mon agent a fait parvenir un communiqué de presse aux médias, annonçant que Richard Petit était hospitalisé et aux prises avec un cancer.

Les courriels de sympathie se sont mis à pleuvoir! Par dizaines, par centaines. Puis des milliers de messages, tous plus gentils, plus émouvants les uns que les autres! Au bureau de l'agence, on était débordé! Plusieurs personnes faisaient parvenir leur témoignage à **Radio-Énergie**, où mon frère Martin travaillait.

On m'écrivait de partout.

Des fans, bien sûr, mais aussi des gens qui avaient eu un cancer et qui voulaient m'encourager dans mon combat, et des amis de longue date qui me faisaient signe, certains après 20 ans!

Des mots pleins d'amour. Et d'humour, souvent. De sympathie.

Je les ai tous gardés!

Je n'ai jamais pu me résigner à les jeter.

Ils contiennent tous tellement d'espoir!

«Salut Richard. Je suis avec ma fille dans l'auto en train de chanter tes «tounes»! Tu es un bon gars et je suis sûr que tout va être correct. Lâche pas!»

— Guy, du Vieux-Montréal

«Focalise toutes tes énergies sur ta guérison. Visualise ton cancer et donne-lui un bon coup de pied dans le derrière! Bonne chance!

— Marjolaine xxx

«Lâche pas, Richard! Je t'aime beaucoup, comme plusieurs femmes, et je sais que tu seras assez fort pour surmonter cette maladie. Je t'embrasse!»

— Denise

«Je sais qu'au Québec, une belle grande solidarité va te remonter le moral. Je veux faire partie de ceux qui vont t'envoyer des ondes positives. Courage!»

— Ginette

«Bonjour Richard. J'ai 20 ans. J'ai été atteinte deux fois d'un cancer jusqu'ici... À 17 et à 19 ans. La voie de la guérison se trouve entre nos deux oreilles... Je suis moi-même une artiste. Je chante et j'écris. Je peux vous dire que tant sur le plan de l'être humain que sur le plan de l'artiste, j'en suis sortie «meilleure». Et, étrangement, je ne regrette rien...»

— Annie

Impossible de m'apitoyer sur moi-même après avoir lu ça!

Oh... ça m'arrivera. mais ces milliers de mots d'encouragement seront toujours pour moi une formidable source d'énergie.

***

Tous ces messages nous ont permis de vivre de magnifiques moments d'intimité. Nous nous installions tous les deux dans le petit lit, collés l'un sur l'autre, et puisque Richard avait de la difficulté à lire, il fermait les yeux et je

devenais sa lectrice, un rôle que j'adorais. Plusieurs de ces
soirées se sont terminées en larmes, tant nous étions touchés
par toute cette générosité, ce soutien, ces ondes positives.

***

Le week-end arrive.
La visite se pointe!
Les amis.
Les intimes et les moins intimes.
La famille.
Les proches et les moins proches.

Et si je souhaite en revoir quelques-uns, plusieurs me tapent sur les nerfs. J'ai l'impression qu'ils souffrent plus que moi. Et que jugeant ma situation plutôt désespérée, ils veulent m'encourager à tout prix (blagues douteuses et anecdotes déprimantes) ou pleurer à ma place.

À certains, j'ai envie de crier: «Dehors!»

Je ne le fais pas, bien sûr. Je me contenterai, à l'avenir, de «filtrer» mes visiteurs.

***

Je me souviens de l'atmosphère de cette première fin de
semaine à l'hôpital. Une atmosphère qui allait se prolonger
pendant plus de deux semaines.

Tout ce monde!

Et Richard, souriant, gentil, patient. Recevant chaque
mot, même maladroit, avec reconnaissance.

Mais je connais bien mon homme. Je ne suis pas sans
remarquer que certaines personnes l'agacent avec la
«grosse pei-peine» qui leur mouille les yeux. Richard est
sensible, mais déteste la sensiblerie!

Le temps se chargera de faire un tri parmi tous ces visiteurs bien intentionnés. Au bout d'une quinzaine de jours, seuls les amis les plus proches viendront régulièrement faire leur tour.

Ils ne seront jamais très nombreux au chevet de Richard. Mais ils seront d'une fidélité sans faille.

***

Lundi.

C'est aujourd'hui que ma «vraie» chimio commence.

Puisque mon séjour à l'hôpital doit durer plusieurs semaines et que la chimiothérapie fera partie de mon quotidien, j'ai droit à un CCIVP, ou cathéter central inséré par voie périphérique. On installe un tube mince, souple et flexible dans une grosse veine de mon bras droit. (Les produits chimiques utilisés pour la thérapie sont très puissants et risqueraient d'abîmer les petites veines.) Ce tube servira de canal aux médicaments qu'on injectera dans mon organisme et rendra plus faciles les prises de sang matinales et quotidiennes tout au long de mon traitement.

C'est tout simple, mais embêtant!

Je ne peux plus prendre ma douche.

Chaque mouvement exige autant de gymnastique que de précaution.

Mais tout cela ne me cause toujours aucune douleur, et je supporte ce petit inconfort sans me plaindre, en pensant à la guérison.

(Une chose que je supporte moins bien, c'est ma vieille télé! Je n'ai pas l'intention de passer deux mois, peut-être plus longtemps, à me battre avec cette ruine!)

Je vais tenter d'expliquer ce qu'est une chimiothérapie. Un mot qui, comme plusieurs mots reliés à la médecine, fait un peu peur. Celui-ci encore plus, puisqu'il est associé au cancer.

Il s'agit d'un «traitement par des substances chimiques».

Le «protocole» est en quelque sorte le plan établi par les médecins quant aux quantités des différents médicaments et à la fréquence à laquelle ils seront administrés. Il varie selon la nature du cancer diagnostiqué et l'étendue de la maladie constatées chez le patient.

Le principe de la chimiothérapie est simple.

On administre au patient une dose de produits chimiques qui ont pour but de tuer les cellules cancéreuses. Celles-ci se développent et se divisent très rapidement. Malheureusement, la chimiothérapie ne fait pas la différence entre celles-ci et les cellules saines, comme les neutrophiles, qui elles aussi sont des cellules à division rapide, et les «assassine» aussi allègrement que les autres.

Les produits chimiques sont donc une forme de médication à haut profil d'effets secondaires qui nécéssite une surveillance constante et spécialisée. Les effets doivent être contrés par un antidote, qu'il faut administrer plus ou moins rapidement, selon les réactions de l'organisme.

Un principe tout simple. Je l'ai dit.

Mais d'une extrême complexité à appliquer.

Parce que chaque être humain réagit différemment.

Parce que chaque cancer est différent.

Parce que la dose de médicaments doit être ajustée sans cesse.

Parce que dans les moments creux, le patient est susceptible de se faire attaquer, voire terrasser, par le moindre microbe un peu agressif passant dans le coin.

Ces moments creux surviennent généralement après quatre ou cinq jours de chimiothérapie, et celle-ci est suivie de quelques jours de répit pendant lesquels on étudie les effets que les médicaments ont sur l'organisme.

Ces deux étapes sont les premières d'un cycle qui en comprend quatre.

À la troisième étape, le patient entre alors dans une phase de «danger» appelée neutropénie.

Les globules blancs sont à la baisse (leucopénie). Le corps n'est pas adéquatement protégé. Au cours de cette étape, les fièvres et les infections sont fréquentes et doivent être traitées sans tarder à l'hôpital à l'aide d'antibiotiques puissants.

La baisse des plaquettes (thrombopénie) participant à la coagulation peut entraîner des saignements lorsqu'on se brosse les dents, des saignements de nez, des hématomes. Il faut être vigilant à 100 %. Avoir une hygiène irréprochable. Éviter les coups. Les blessures. Les brûlures. Les piqûres d'insectes. Un coup de soleil peut être dangereux! (Évidemment, en février, au Québec, les risques d'insolation sont assez minces.)

Il y aura même des jours où mes invités et moi-même devrons porter des masques.

La chimio, pendant cette période de reconstruction, est interrompue.

La quatrième étape du cycle est une période de repos.

Quand l'organisme se sera rétabli, que tous ses systèmes de défense naturels auront repris du poil de la bête, un deuxième cycle sera entrepris.

Voilà donc pourquoi, pendant toute la durée du traitement, le patient est sous surveillance constante.

Prises de sang multiples. Analyses.

Il ne se passe jamais plus de quelques heures sans qu'une infirmière vienne s'assurer que tout va bien, d'une façon ou d'une autre. Toute négligence peut avoir des effets fort inquiétants.

Il faut essayer de tout prévoir.

Le protocole qu'on établit pour moi comprendra huit cycles. Cela signifie que je passerai plusieurs semaines à l'hôpital. Deux ou trois mois, peut-être...

Et tout ça est devant moi.

C'est ce qui m'attend.

Il m'est impossible d'y échapper, sous peine de mort.

Est-ce que je me sens prêt?

Est-ce qu'on est jamais prêt pour une chose comme celle-là?

***

Richard vient de monter sur le ring.

Il va se battre contre un adversaire cruel et sans pitié.

Tout le monde sait comment le combat va se dérouler.

Les médecins ne nous ont rien caché.

Richard va se faire frapper.

Tomber.

Se relever.

Se faire frapper de nouveau.

Tomber.

Se relever un peu plus difficilement.

Se faire frapper encore...

Pendant huit rounds.

Il sera de plus en plus faible.

De plus en plus «magané».

Moi, je serai «dans le coin» à l'encourager, à le soigner.

Morte de peur à l'idée que peut-être, après le prochain coup, il ne se relèvera pas.

Mais j'accepte ce rôle.

Consciemment et totalement.

***

Je suis un maniaque de la technologie. J'aime les appareils performants.

Systèmes de son, ordinateurs, etc. Et téléviseurs!

Je suis un fidèle client de Kébecson. Un bon client. «Payant»! Avec le propriétaire, mon homonyme Richard Petit, avec son partenaire, Michel Tremblay, comme avec leurs employés, j'ai développé des liens privilégiés.

J'appelle donc Michel pour lui faire part de mon problème: devoir passer deux mois dans une chambre d'hôpital avec une télé d'époque et une télécommande infirme!

Le jour même, un technicien vient examiner l'installation en question.

Le lendemain, j'avais une télé 19 pouces à écran plat, posée sur une petite table près de mon lit et une télécommande «à deux sens».

Le grand luxe!

Comme je suis conscient que je dérange le système mis en place par la société X, je téléphone au propriétaire de l'entreprise pour le rassurer: je vais le payer.

Tout en continuant de penser que c'est du vol!

Les membres du personnel hospitalier n'en reviennent pas de la façon dont je m'organise.

Avec cette nouvelle acquisition, ma chambre prend des allures de studio. Elle ressemble de plus en plus à un chez-moi. Un chez-moi temporaire, mais un chez-moi quand même.

Depuis mon arrivée, d'ailleurs, elle se remplit d'objets qui peuvent paraître hétéroclites aux visiteurs, mais qui ont tous une signification particulière pour moi.

Mon frère, Martin, le premier jour, m'a offert une figurine de *Star Wars*: Maître Yoda, pour m'apporter «la Force».

Mon ami Sylfranc m'a fait cadeau d'une superbe photo encadrée d'Hélène et moi, prise à la plage. Il y a des cartes postales sur les murs. Des livres ici et là.

Un frigo. Un micro-ondes.

Une salle de bains privée.

Un vrai studio!

Un minuscule meublé. Du genre qu'on occupe dans un moment creux. En attendant que les choses se tassent. Et de reprendre une vie normale. Exactement la situation que je vis.

Ce n'est finalement pas si mal!

***

Au début, aussitôt remise du choc causé par l'arrivée du cancer dans la vie de mon chum, donc dans la mienne, je me suis dit que j'allais me battre. Que j'allais faire face à cette maladie, aussi menaçante soit-elle, sans baisser les bras.

Je me croyais tellement forte...

Les infirmières m'avaient suggéré de rendre visite à la psychologue de l'hôpital, qui offre un service gratuit et généralement très apprécié. Mais au début, j'étais convaincue que ce n'était pas pour moi.

J'ai vite compris à quel point je me trompais.

J'ai donc pris rendez-vous avec cette femme admirable, qui a su comprendre mes inquiétudes et m'a donné d'excellents conseils.

Ces quelques mots, entre autres, m'ont aidée jusqu'à la fin:

«Ne niez pas la maladie. N'en réduisez pas la gravité. Essayez plutôt de faire en sorte qu'elle fasse partie de votre histoire. Vous ne pouvez rien contre elle. Vous pouvez beaucoup pour vous.»

Dès ce moment, toutes mes énergies ont cessé de vouloir détruire le mal et se sont consacrées à construire le bon. De mille manières. Quotidiennement. De destructrices, elles sont devenues constructives!

CHAPITRE 8

L'IMPORTANCE
DE L'HUMOUR

J'ai dit que j'avais subi 14 ponctions lombaires.

C'est une procédure à laquelle on ne s'habitue pas, et chacune d'entre elles m'a donné froid dans le dos!

Deux d'entre elles sont mémorables...

D'abord la sixième, à laquelle Hélène a exprimé le désir d'assister...

***

Je voulais tellement «faire ma part» dans cette terrible expérience que vivait Richard! Lui prouver que j'étais forte et qu'il pouvait compter sur moi...

Alors, comme je savais qu'il s'inquiétait chaque fois qu'il devait subir ces fameuses ponctions lombaires, j'ai insisté pour qu'on accepte que j'y assiste.

Le neurologue en charge de la procédure ne m'a pas témoigné plus de sympathie que ça... Il s'est contenté de me dire qu'il ne pourrait pas s'occuper de moi si je ne me sentais pas bien.

Quand Richard a été prêt, dans la bonne position, le médecin a sorti ses instruments (c'est là que j'ai

113

ressenti ma première bouffée de chaleur!) et s'est mis à l'ouvrage.

Les premières piqûres anesthésiantes ne m'ont pas troublée outre mesure. Mais quand la très longue seringue a été introduite à la base du dos de Richard, j'ai senti que j'avais les mains moites. Quand j'ai vu le liquide que le tortionnaire extirpait de sa victime, la chaleur a envahi mon corps tout entier, et il m'a semblé que la pièce où nous nous trouvions avait bougé.

J'ai tout juste eu le temps de balbutier: «Je ne me sens pas bien...»

Et je me suis évanouie!

Oh... je n'ai pas vraiment perdu conscience...

Je me souviens que, sur la civière qui m'emmenait hors de la chambre, je répétais:

«Non... Non... Moi, ça va aller... Occupez-vous de Richard...»

La grande Sarah Bernhardt n'aurait pas fait mieux!

Sauf que, moi, je ne jouais pas!

Heureusement, je n'ai pas vu le regard du neurologue... Je ne peux qu'imaginer le mépris qu'il devait contenir.

Richard, pour sa part, a bien ri (pas trop fort, et sans bouger, pour ne pas se faire piquer de travers)!

***

Quant à la onzième...

Le neurologue, entouré de jeunes stagiaires curieux, était volubile et sûr de lui. Il expliquait avec force détails la bonne et unique façon de procéder pour ne pas «rater son coup» et blesser le patient. Ce qui, disait-il avec fierté, ne lui était jamais arrivé.

Avant ce jour-là!

Une douleur intense, aiguë, m'a traversé le système nerveux de la tête aux pieds. Une de mes jambes s'est tendue. J'ai crié. Tout cela violemment. En une fraction de seconde.

Et j'ai souhaité ne plus jamais revoir ce médecin... Il me restait encore trois examens semblables à passer!

***

Après quelque temps, déjà, tout va bien.

J'apprivoise mon nouvel environnement. Je me laisse apprivoiser par lui. Je m'habitue à la lumière, aux bruits, aux odeurs qui m'entourent et qui feront partie de mon quotidien pendant plusieurs semaines.

J'essaie de garder la tête froide.

De chasser les doutes par un bel optimisme:

«Tiens... en sortant d'ici, je m'achète un voilier!»

Traverser un océan sur un voilier... Ce doit être formidable! C'est un rêve.

Mais quand on est lié à la réalité par la maladie, le rêve, c'est important!

Tous les membres du personnel hospitalier sont d'une extrême gentillesse. Ils m'accordent beaucoup de temps. Sont attentifs à mes moindres besoins. Répondent à mes questions avec générosité.

L'humain, c'est bien connu, est l'être vivant le plus «adaptable» de la création.

Je m'adapte.

Presque...

Je suis assez rapidement écœuré de la bouffe qu'on nous sert à l'hôpital. Je me demande même comment j'ai pu l'avaler et la digérer pendant plus d'une semaine! Dès que je leur exprime mon mécontentement (mon écœurement!) culinaire, maman et Hélène entreprennent de me nourrir elles-mêmes.

Merci! Merci! Merci!

***

Dès son entrée à l'hôpital, Richard est devenu très «demandant», voire capricieux. Nous, les «aidants naturels», sa mère et moi en l'occurrence, étions parfaitement conscientes que le corridor qu'il commençait à traverser serait long, sombre, étouffant; que la lumière qu'on lui promettait à la sortie était non seulement invisible, mais presque inimaginable. Nous-mêmes, sans jamais le lui dire, avions nos moments de doute.

Mais... autant sa mère que moi, nous aimions Richard.

La «maman» a donc généreusement puisé dans ce qu'elle avait de patience et de compréhension. La «blonde», dans ce qu'elle avait d'énergie et de détermination. Le plus naturellement du monde!

Avec amour.

Et nous étions heureuses de nous sentir utiles.

Oh... nous n'étions pas les seules personnes au service du roi Richard! Mais nous étions les plus proches, donc les plus sollicitées, celles dont Sa Majesté attendait le plus.

Tout un contrat! (Cela dit avec humour!)

Pour ma part, je me suis vite adaptée à ce mandat que je m'étais donné à moi-même, au nom de tout ce qui me liait à Richard, résolue à rendre son quotidien le plus agréable possible. S'il fallait pour cela que je m'oublie, un peu ou beaucoup, j'acceptais de le faire sans revenir sur ma décision.

Jusqu'au bout.

J'ai rapidement pris les nouvelles habitudes qui s'imposaient.

Tout devient simple quand on fait quelque chose pour ceux qu'on aime.

Ce qui a des allures de sacrifice aux yeux des autres peut n'être qu'un simple geste d'amour de notre part. Tous les parents du monde, tous les amoureux du monde vous le diront!

J'ai donc appris à faire la «popotte» avec des gants de latex.

À tout stériliser dans la cuisine: comptoir, plats, ustensiles.

À faire de cet état de constante vigilance une seconde nature. Quelque chose qui va de soi. Qu'on ne remet pas en question à la moindre difficulté.

Une règle de vie!

Ce n'était pas toujours facile, mais quelle joie de voir le visage de mon amour s'éclairer quand j'arrivais avec mes petits plats! (En fait, il y avait les siens et les miens. Nous partagions notre repas, mais il nous était interdit de partager nos microbes!)

***

Je suppose que j'ai été «demandant».

Capricieux, je ne crois pas.

Et, chose certaine, j'ai apprécié au plus haut point tout ce qu'on a fait pour moi. Je souhaite à tous les patients de tous les hôpitaux d'être «gâtés» comme je l'ai été!

Cela dit, quand on est hospitalisé, on vit «en circuit fermé». Dans un espace restreint. À l'intérieur d'une pièce. À l'intérieur de soi.

Le monde extérieur n'existe pratiquement plus puisqu'on n'en fait plus partie.

Quatre murs.

Un lit.

Des draps *cheap*, des oreillers *cheap*.

Des serviettes *cheap*!

Une télé *cheap*, à l'origine! Et même les nouvelles qu'elle diffuse pourraient être des reprises, y compris la météo, parce que, bien sûr, les seules nouvelles qui nous intéressent sont celles que les médecins nous apportent chaque jour. Or, comme il arrive que plusieurs docteurs passent tour à tour dans la chambre, même si les premiers sont optimistes quant à notre état de santé, il suffit que le dernier émette le moindre doute pour que le moral et l'espoir retombent à zéro.

Pas facile!

Ni pour soi ni pour les siens!

Le personnel hospitalier est présent mais, malgré sa gentillesse, demeure étranger.

Il y a les copains. À qui on en veut un peu quand ils ne viennent pas. Ou quand ils viennent trop souvent. Quand on ne se sent pas carrément coupable d'être malade et d'imposer des déplacements et de la sympathie à des gens qu'on ne voyait pas souvent avant et qu'on ne reverra probablement pas après!

Restent les amis, les vrais.

Et la famille.

Et sa blonde, quand on a le bonheur d'en avoir une.

Alors, oui, peut-être qu'on en demande beaucoup!

Je ne peux que répéter: «Merci! Merci! Merci!»

***

Et la routine s'est installée...

Prise de sang à 6 h.

Nouvelle plongée dans un demi-sommeil tranquille.

À 7 h 15, un homme de ménage vient laver le plancher.

7 h 30: petit-déjeuner.

Nouvelles à la télé.

Vers 9 h, le médecin venait faire son tour.

Maman arrivait entre 11 h et 11 h 30, avec le dîner qu'elle m'a préparé (merci! merci! merci!), toujours excellent. Papa l'accompagnait à l'occasion.

Et si Sylfranc venait parfois partager notre repas du midi, en général, c'est vers 13 h qu'il se pointe avec sa bonne humeur.

Mes parents se retirent en milieu d'après-midi, au moment où mon frère, Martin, arrive, après le meeting de production de son émission de radio. Aux alentours de 17 h, Sylfranc et Martin s'en vont.

Un moment de repos et de solitude.

Puis, Hélène apparaît avec son sourire d'ange et notre repas du soir, qu'elle a cuisiné et qu'elle apporte, encore chaud (l'hôpital est à huit minutes à pied de notre maison!), dans des contenants en plastique étanches.

C'est le plus beau moment de la journée.

Nous passons la soirée à parler de tout et de rien. Nous aimons jouer au scrabble. Hélène me lit quelques-uns des courriels que l'agence lui a remis. Nous parlons de sa carrière. (Jamais de la mienne. Parce que le travail ne fait absolument pas partie de mes priorités. Je n'ai qu'une idée en tête: sortir de l'hôpital le plus vite possible, et guéri!)

Il y a plein de tendresse entre nous, plein de douceur.

Nous nous touchons sans cesse.

Puis, vers 23 h 30, elle me quitte.

Mais je m'endors quand même avec elle.

Elle passe les fins de semaine avec moi.

Elle arrive le samedi matin, entre 9 et 10 h, avec *La Presse*, qu'on lit en commentant les nouvelles. (Je ne peux lire que les gros titres: lire avec un œil, ce n'est pas facile, et on se fatigue très vite.) On reçoit les visiteurs ensemble.

On fait une partie de scrabble. En soirée, on écoute le hockey ou un film à la télé. Elle va dormir à la maison et revient le dimanche matin pour ne partir que le soir.

***

Le 14 février, j'ai préparé un repas de fête.

En plus de la nourriture, j'ai apporté une chandelle, une jolie nappe, des napperons rouges. Pour la bougie, j'avais au préalable demandé la permission à l'infirmière. L'oxygène, dans un hôpital, c'est précieux!

Richard et moi avons donc célébré la Saint-Valentin (presque) comme tous les amoureux du monde.

Comme eux, pour un moment, nous nous sommes branchés sur notre amour, et uniquement sur notre amour.

***

Je n'oublierai jamais cette Saint-Valentin tout à fait spéciale!

Hélène m'avait préparé des pâtes au pesto, un de mes plats favoris.

Elle avait aussi apporté du vin et une bougie. Pour le repas, nous avons éteint la lumière de la chambre. C'était d'un romantisme! (Le personnel de l'hôpital nous a trouvés assez *cutes*!)

Je me souviens aussi qu'elle avait acheté un ballon en forme de cœur, gonflé à l'hélium. Toute à la joie de me faire cette merveilleuse surprise et pressée de me rejoindre, elle l'avait oublié à la maison et avait tenu à aller le récupérer. Ce ballon est resté accroché à mon lit pendant des semaines, jusqu'à ce que le gaz s'en soit échappé!

***

Un peu moins romantique, l'anecdote qui suit...

Parmi les nombreux professionnels de la santé qui me rendent visite, il y a une diététicienne. Qui me compose un menu. Et me suggère d'éviter les fibres pour un certain temps. Trois, puis quatre jours passent sans que je ressente le besoin naturel qui, depuis mon enfance, m'amène aux toilettes chaque matin.

Quand le besoin se fait sentir de nouveau, je suis incapable d'évacuer quoi que ce soit.

Cinq. Six jours.

Sans succès!

Et mon seul exercice consiste à marcher de mon lit à la salle de bains et de la salle de bains à mon lit.

J'ai le ventre qui s'arrondit!

Et je ne me sens pas bien.

Le septième jour, je fais part de mon malaise aux infirmières.

Pas de succès là non plus.

Et je mange comme un ogre!

J'ai faim!

Les médicaments qu'on me donne me creusent l'appétit aussi sûrement qu'un marathon!

Le neuvième jour, malgré la faim, je refuse de manger la nourriture qu'on me donne et je dis à l'infirmière de service, debout devant moi avec son plateau dans les mains:

«À moins que vous ne m'aidiez à faire mon «numéro deux», je ne mange plus jamais!»

Lavement.

Soulagement.

Et, surtout, retour des fibres dans mon alimentation!

***

L'humour!

Quelle chose extraordinaire!

Richard n'en manque pas. Moi non plus.

Et je plains sincèrement ceux qui n'en ont pas ou qui le méprisent.

Richard et moi en parlerons plus d'une fois au cours de ce récit, parce qu'il a été (et demeure) omniprésent entre nous.

L'humour, c'est le matelas sur lequel tombe un cascadeur après avoir sauté de la fenêtre du cinquième étage d'un édifice en flammes!

C'est aussi un gigantesque tampon entre le drame et la folie!

Il nous permet de prendre du recul face aux événements tragiques. Et même s'il peut parfois sembler un peu «forcé», il est toujours le bienvenu et s'avère, dans bien des cas, salutaire!

Quant à l'effet du rire sur la santé (même quand on est en santé!), on sait depuis longtemps qu'il est bien réel et tout à fait bénéfique.

***

CHAPITRE 9

LA SOLITUDE
DE MA CHAMBRE

Autre examen de résonance magnétique.

Bonne nouvelle: la masse qui poussait dans ma tête a disparu. Un grand merci aux ponctions lombaires!

Le cerveau étant protégé par les méninges, parfaitement hermétiques, les cocktails chimiques injectés dans mon système sanguin sont incapables de s'y rendre. La seule façon d'envoyer un médicament au cerveau est de le faire en passant par le liquide céphalo-rachidien.

***

Le premier mois de mon hospitalisation s'est passé sans histoire.

Pas de symptômes particulièrement déplaisants ou douloureux. Pas de détérioration physique excessive. (J'avais toujours mes cheveux, mais j'allais bientôt me raser la tête, préférant faire ça d'un coup plutôt que de me déplumer petit à petit.)

Quant aux nausées dont on m'avait abondamment parlé, elles étaient contrôlées par un nouveau médicament ultra-performant qu'on ajoutait au cocktail qu'on m'injectait.

Je devrais dire ça au pluriel: «aux cocktails»!

J'étais littéralement gavé de produits de toutes sortes s'écoulant de plusieurs sacs transparents accrochés au-dessus de ma tête. (Parfois jusqu'à huit!)

Des cocktails de chimio.

Des antidotes «en *stand-by*».

Des trucs pour m'hydrater.

D'autres pour contrer les nausées.

Je me suis un jour amusé à calculer ce qui entrait dans mon corps en l'espace d'une heure. Toutes les doses additionnées ont donné ce chiffre absurde: 900 millilitres! Neuf cents millilitres de liquide par heure envahissaient mon corps!

Inutile de préciser que je devais me lever toutes les 20 minutes pour uriner!

***

Un après-midi, pendant la semaine, je suis entrée dans la chambre de Richard et j'ai eu un moment de panique: il n'avait plus un cheveu sur la tête!

Il s'était rasé le crâne, tout simplement, décision qu'il avait prise avec son ami Sylfranc.

Rien de dramatique, donc.

Pourtant, moi, pour la première fois depuis que le cancer avait été diagnostiqué, j'avais devant les yeux un aperçu des dommages physiques que, tôt ou tard, inévitablement, la maladie allait causer.

Et j'en ai ressenti une peine immense.

Que j'ai cachée, bien sûr.

***

Petit à petit, l'hôpital devient toute ma vie.

Ma «vraie» vie est en suspens quelque part, comme un film qu'on aurait mis sur «pause» pour une période indéfinie.

J'évolue dans un seul décor.

Entouré des mêmes personnages.

Sans me soucier du passé.

Sans projets à long terme.

Mon présent et mon avenir immédiat sont tout ce qui m'importe.

Je n'ai qu'un rêve: guérir.

Or, depuis le début du deuxième cycle, je suis très conscient de la gravité de mon état et de l'ampleur du traitement.

Je contrôle encore assez bien mes inquiétudes. Mes moments de dérapage. Mes angoisses. Mais je me rends compte que ma survie ne dépend plus de moi seul.

Et moi qui ai toujours tout décidé pour moi! Il faut que j'apprenne à faire confiance.

Je suis à la merci de la médecine et de tous ses intervenants.

L'itinéraire vers ma guérison est dessiné. Mais ce n'est pas une ligne droite entre deux points. Ce n'est pas un trajet protégé. Je ne serai en sécurité qu'à l'arrivée. Jusque-là, le danger est constant. Tout est possible, le meilleur comme le pire!

Et dans cette superproduction qui prend parfois des allures de science-fiction, c'est moi qui ai le rôle principal. Le plus difficile sera de ne pas l'oublier. Le cancer, comme un metteur en scène, fera ce qu'il peut pour me déséquilibrer, n'hésitant pas à me faire croire que les médicaments qu'on me donne sont plus méchants que lui, effets secondaires à l'appui.

Je me promets d'être vigilant.

***

Après cinq semaines d'hospitalisation, j'obtiens mon premier congé.

Trois jours!

Je quitte l'hôpital vendredi après-midi. Je n'y reviendrai que dimanche soir.

Trois jours presque entiers dans une vraie vie.

À l'intérieur d'une ville qui s'active à vivre. Qui respire. Fait du bruit. Bouge.

Avec l'impression toute neuve d'en faire partie.

Avec Hélène.

Dans notre maison. Notre décor. Nos odeurs.

Notre lit!

Pas assez de temps pour retrouver nos habitudes...

Et pas question de recevoir parents ou amis pendant ces trois jours.

Je veux être attentif à tout ce que je touche, à tout ce que je ressens.

Je me souviens que samedi matin, Hélène et moi avons mis de la musique (*Breakfast in America*, de Supertramp), et que nous avons dansé. Et j'ai fait des crêpes! Rien d'extraordinaire... mais j'ai goûté ce bonheur tout simple tellement intensément que j'ai pleuré.

C'est là que j'ai réalisé à quel point j'avais eu peur de ne jamais revenir chez moi.

***

J'étais si heureuse que Richard puisse passer quelques jours à la maison!

Sa joie était si belle à voir!

Évidemment, il était très faible. Il avait maigri. Il

130

mangeait peu. (Le jour où il a fait des crêpes avec tant d'en-thousiasme, il n'en a mangé qu'une!) J'étais constamment sur le qui-vive, guettant le moindre signe de malaise. J'avais peur, par exemple, même si nous dormions dans le même lit, de m'endormir trop profondément, de ne pas l'entendre m'appeler s'il avait besoin de moi.

Nous étions pourtant bien informés. Nous avions un numéro de téléphone grâce auquel, 24 heures sur 24, nous pouvions joindre l'hôpital et demander des conseils ou de l'aide. Mais à ce stade, je ne connaissais pas assez la maladie et je me demandais comment j'allais réagir si quelque chose d'imprévu survenait.

J'étais donc très heureuse qu'il soit près de moi, mais quand il est rentré à l'hôpital, dimanche soir, j'étais en quelque sorte soulagée.

***

Retour à l'hôpital.

(Non sans être d'abord passé par La maison de la presse internationale pour acheter tout ce qu'on y offrait comme revues sur la voile! Il faut bien continuer à rêver!)

On pourrait croire que j'y suis retourné à reculons.

Tristement.

Pas du tout!

Ah! j'étais bien à la maison! Mais j'étais tellement stressé à l'idée que quelque chose pouvait à tout instant tourner mal... Je gardais présents à mon esprit les souvenirs pénibles de mon voyage en ambulance vers l'urgence de Notre-Dame.

La douleur.

La peur.

L'inconnu.

L'hôpital est devenu un oasis de sécurité au milieu d'un désert de mirages et de pièges. Mon être tout entier y est surveillé 24 heures sur 24. La moindre altération de mon état est rectifiée sur-le-champ. On peut répondre instantanément aux questions que soulèvent mes doutes, mes malaises, mes douleurs, mes colères.

Mon désespoir...

Parce que, malgré toutes les ondes positives qui m'entourent, l'amour d'Hélène, de mes parents et amis; malgré les soins professionnels, la bonne humeur et la compréhension du personnel hospitalier; malgré la certitude que je vais m'en sortir; je suis régulièrement en proie à des crises d'angoisse profonde.

Savez-vous qu'il m'est arrivé de voir la Mort dans son grand manteau noir, tenant dans sa main squelettique sa grande faux? Tranquillement assise à deux pas de mon lit sur une petite chaise droite.

Plus d'une fois.

La solitude d'une chambre d'hôpital est indicible. Ce n'est pas pour rien qu'on l'a souvent comparée à l'antichambre de l'au-delà.

***

La solitude d'une maison où l'on vit seule en attendant le retour de l'autre est indicible.

Richard et moi avons choisi notre maison ensemble. Nous l'avons meublée ensemble, décorée ensemble. Nos odeurs y sont mêlées. Ses murs ont été les témoins de nos premiers rêves communs.

Elle nous ressemble. À nous deux!

Sans lui, elle n'est plus la même.

Je sais qu'il n'est pas loin. À 12 minutes de marche.

Je sais où il est.

Pourquoi il y est.

Je le vois tous les jours.

Mais je crois que j'ai aussi hâte que lui qu'il reprenne sa place: dans notre maison, près de moi.

En attendant, j'occupe ma solitude en faisant des puzzles. Pas des petits, faciles! Des casse-tête de 1 000 pièces!

J'écoute de la musique douce.

Beaucoup de piano.

Chopin, surtout.

(Certaines pièces finiront par être associées à cette période difficile, et je ne pourrai plus les écouter quand Richard sera guéri.)

***

La routine, encore, dont j'essaie de m'accommoder sans me plaindre.

Je veux être un bon patient: patient, gentil, de bonne humeur. Mais ce troisième cycle me joue de bien mauvais tours.

Mon corps est malade.

Je le sais depuis déjà trop longtemps.

Je sais aussi qu'il le sera encore pendant plusieurs semaines. J'ai compris et accepté le traitement qui le guérira un jour s'il ne le détruit pas complètement avant.

C'est dans ma tête que tout se dérègle.

Elle est comme une horloge dont les mécanismes sont usés, qui perd d'abord 10 secondes en 24 heures, puis 2 minutes le jour suivant.

Je ne peux plus m'y fier.

Elle ne me donne plus l'heure juste.

Alors, je mets en doute tout ce qui jusque-là me rassurait. J'ai peur!

Peur que le traitement s'avère inutile.

Peur du prochain congé, plus long, où je serai sans surveillance médicale. En danger! Sans compter qu'il me semble que ce sera du temps perdu. Comme des vacances non méritées.

Je me dis que ce n'est qu'une façon de retarder la guérison. Je panique!

En fait, à chaque cycle, la chimiothérapie apporte quelque chose de nouveau.

Généralement, un désagrément supplémentaire.

Au troisième cycle, le décadron fait son apparition dans le protocole de mon traitement. Il s'agit d'un stéroïde puissant, qui a des effets épouvantables sur le cerveau. Il a entre autres pouvoirs néfastes celui de me rendre irritable, impatient, voire agressif.

Et j'ai vécu, à cause de lui, des crises d'angoisse terrifiantes.

C'est pendant l'une d'elles que Charles Johnston m'a fait une visite surprise.

Et un cadeau formidable.

Comme je l'ai déjà dit, depuis que nous avons fait connaissance, à la fin de son traitement, Charles et moi sommes toujours en contact. Nous nous parlons à intervalles réguliers. C'est lui qui téléphone. Je n'ai pas son numéro.

Ce jour-là, je suis assis sur le bord de mon lit et je broie du noir. Je déteste ma maladie. Ma chambre. Les médicaments. Ma douleur. Je ne veux même pas penser à l'avenir.

Je pense à Charles Johnston.

Je sais que lui saurait répondre à mes questions. Qu'il comprendrait ma douleur. Je me demande comment obtenir son numéro de téléphone.

Je me dis que dans les registres de l'hôpital, on devrait pouvoir le trouver. Est-ce qu'on me le donnera?

«Toc! Toc! Toc!»

Quand mon visiteur inattendu pousse la porte et que je le reconnais, je prononce son prénom avec une joie remplie de reconnaissance. Il est le seul être humain qui peut me faire le bien que je ressens instantanément.

Et il est là!

La coïncidence me renverse:

«Charles... Je pensais justement à toi...»

Il a des cheveux, des sourcils. Des cils! (La perte des cils est plus dramatique pour l'esthétique du visage que la perte des sourcils. D'ailleurs, c'est peut-être pour avoir l'air en santé que les femmes utilisent du mascara!)

Un sourire d'homme heureux.

Un teint d'homme en santé.

Il est la promesse vivante que je vais m'en sortir!

Le fait qu'il est là s'explique, bien entendu: trois mois après la fin du traitement, il est conseillé de faire une visite à la clinique de l'hôpital, pour s'assurer que tout va bien.

Charles en a profité pour monter à l'étage et saluer les infirmières qu'il a connues. Ce sont elles qui lui ont dit que je suis encore là.

Le fait qu'il est dans ma chambre, donc, est justifié.

La coïncidence, elle, demeure un miracle.

Et elle m'en rappelle une autre, que j'ai vécue après ma propre guérison.

Comme Charles, je suis revenu à l'hôpital saluer les infirmières. Sachant à quel point on peut se sentir seul et découragé quand on loge à cet étage, j'ai dit: «Est-ce qu'il n'y aurait pas un patient à qui un *pep talk* ferait du bien?»

L'infirmière à qui je venais de poser la question m'a aussitôt répondu: «Oui, justement, il y a Nicolas, un garçon de 25 ans qui vit plutôt mal sa situation.»

«Je vais lui parler avec plaisir.»

«Attends une minute, je vais voir si ça lui tente d'avoir de la visite.»

L'infirmière revient quelques minutes plus tard. Et elle me raconte que lorsqu'elle a dit à Nicolas que quelqu'un désirait le voir, il a demandé: «Est-ce que c'est Richard Petit?»

Quand elle lui a confirmé, interloquée, que c'était bien moi, il lui a tout simplement raconté que, la nuit précédente, il avait rêvé que je lui rendais visite!

Ici encore, ma présence s'explique. Que Nicolas l'ait prévue et souhaitée reste un mystère!

***

Mon deuxième congé est pénible.

Mes crises de panique ne s'estompent que pour de brefs moments, pour réapparaître plus fortes.

Je n'ai envie de rien.

Je suis habité par la peur.

Jour et nuit, elle ne me laisse aucun répit.

J'ai très peu ou pas du tout de contrôle sur ma raison.

Je me demande comment vivre dans un tel état. Si c'est seulement possible d'y survivre!

***

Richard souffre jour et nuit.
Il a peu d'appétit.
Dort mal.

Il crache.

Vomit.

Il n'y a plus rien de «glamour» dans notre relation.

En fait d'intimité, on ne saurait aller plus loin!

(L'humour, encore!)

Mais je l'aime tout autant. Je suis sa blonde plus que jamais!

Je prends soin de lui.

Et j'admets que je m'étonne!

Je ne panique plus pour rien. Certaines choses, certains gestes qui au départ me répugnaient n'ont plus d'effet sur moi.

Je suis là!

Tous ses malaises font maintenant partie de notre vie.

Je me dis que notre quotidien a simplement changé de visage. C'est quand même notre quotidien. Nous n'avons pas changé. Notre amour est là. Je suis la même femme. Richard est le même homme.

Nous faisons route ensemble.

Ce n'est pas un détour, aussi imprévu et pénible soit-il, qui nous empêchera de nous rendre à destination!

***

CHAPITRE 10

L'ENDURANCE DU CORPS HUMAIN

On ne mentionnera jamais assez l'importance du téléphone!

Depuis le début de cette aventure, il est un lien essentiel entre Richard et moi. Grâce à lui, nous sommes constamment en contact.

Nous nous parlons dès le réveil, souvent très tôt, et plusieurs fois par jour. Le soir, quand je le quitte, vers 11 h 30, je rentre à pied à la maison. Je n'ai que le parc Lafontaine à traverser. Ce n'est pas loin, et la marche me fait du bien. Le grand air, même en février, m'aère l'esprit autant que les poumons. Et comme j'ai mon cellulaire, il arrive que Richard m'appelle pendant ce court trajet et que sa voix m'accompagne jusque dans notre salon. Quand j'ai fait ma toilette et que je suis prête à me mettre au lit, je le rappelle. Je ne m'endors jamais sans que nous nous souhaitions bonne nuit.

Comme avant...

***

La voix d'Hélène au téléphone, même si c'est un faible substitut à sa présence physique, a un effet incroyable sur ma vie. C'est ma dose de certitude, ce qui m'assure que je ne suis pas seul. Aussi essentielle que les produits chimiques dans mes veines. Absolument indispensable à mon cœur. Un genre de bouée de sauvetage dans les moments où mon cerveau risque de se noyer dans la folie.

La voix d'Hélène, parfois douce, parfois débordante d'énergie, s'ajustant avec amour et finesse à la situation que je vis, me fait un bien formidable.

Et de savoir son oreille collée à l'écouteur, attentive à chaque mot, à chaque souffle, m'apporte un réconfort qu'aucun médicament ne peut me donner.

***

Charles est la première personne à me parler des maux de gorge.

Il me répète que les mucites sont ce qu'il a le plus détesté des effets secondaires dus aux traitements. Ce sont des champignons qui se créent dans la bouche, endroit chaud et humide où ils se multiplient.

Tous les êtres humains ont ces champignons. Mais le système de défense dont j'ai déjà parlé s'occupe d'empêcher leur prolifération.

Mon système a tenu bon jusqu'au milieu du deuxième cycle.

Un matin, j'ai une drôle de sensation dans les gencives...

J'en parle aux infirmières.

Personne ne semble surpris.

On me suggère, à compter de ce moment-là, de me gargariser avec de l'eau et du sel.

Souvent!

Toutes les heures au moins, afin de limiter les dégâts. Mais les dégâts deviennent très vite manifestes.

J'ai la langue épaisse. J'ai mal à la gorge. De la difficulté à avaler.

Je ne mange plus.

Je bois avec peine.

Je parle comme un gars saoul.

On m'apporte des Tylenol.

Qui n'ont aucun effet.

On me donne finalement un médicament plus costaud, et la douleur s'estompe.

Pendant le troisième cycle, les maux de gorge reviennent.

La douleur devient insupportable.

On me propose de la morphine.

J'hésite...

De la morphine!

Je ne prends plus de drogue depuis des années!

Passer de deux comprimés de Tylenol à une dose de morphine en quelques jours... c'est un changement qui me paraît plutôt radical!

Hélène, toujours présente, et qui ne désire elle aussi que mon bien-être, a pourtant les mêmes réticences que moi et m'encourage: «Sois fort, mon amour. Tu n'es pas obligé de prendre n'importe quoi...»

Le médecin de garde, lui, s'exprime autrement: «Quand tu souffres, tu nous le dis. On a ce qu'il faut pour te soulager. Tu n'auras pas de médaille parce que tu auras réussi à supporter ta douleur! Souffrir, c'est inutile! Tu dois te servir de ton énergie pour guérir. Seulement pour ça!»

Comment refuser l'aide que l'on m'offre?

J'ai tellement mal!

L'infirmière arrive avec ses aiguilles.

Je lui demande ce que c'est.

«Du dilaudid.»

Le dilaudid est un analgésique narcotique prescrit dans le traitement de la douleur d'intensité modérée à grave. La dose recommandée: deux milligrammes.

Oh boy!

«J'ai chaud, Hélène... J'ai chaud!»

Je m'agrippe à son bras.

Tout tourne autour de moi.

Le plancher de la chambre ondule.

Je suis sur un bateau pris dans un ouragan!

Je m'accroche à Hélène parce que j'ai peur de tomber du lit!

Je me souviens de mes 20 ans et de l'effet de certaines drogues... Je n'ai jamais vécu un trip semblable! Je suis véritablement «gelé»!

Je ris parce que la drogue me chatouille le cerveau, parce que je n'ai plus mal.

Et c'est bien.

Mais je demande quand même à l'infirmière d'y aller un peu moins fort la prochaine fois! Car je ne suis pas sans savoir qu'il y aura plusieurs prochaines fois... En fait, on me piquera aux trois heures. Au bout de quelques jours, nous finirons par nous comprendre et par nous ajuster.

Mes «buzzs» autant que ma douleur deviennent tolérables.

Pendant mes «buzzs», j'en profite aussi pour écouter de la musique!

Ceux qui n'ont jamais écouté de la musique «sous influence» ne savent pas ce qu'ils manquent! Quel que soit le genre de musique qu'ils affectionnent.

Je ne sais pas si mon infirmière s'en doutait, mais je peux bien lui avouer aujourd'hui que j'ai vécu grâce à elle des moments de pure extase, suivis la plupart du temps par un sommeil d'enfant sage.

C'est une façon formidable de me reposer à la fois le cerveau et le corps. De récupérer le mieux possible, le plus vite possible.

Je suis une maison en rénovation.

Je connais le temps et l'énergie que ça demande.

L'enthousiasme et la hâte qui nous habitent.

La patience dont il faut faire preuve.

***

J'entre en radiothérapie.

À titre préventif.

Une dizaine de jours.

Huit minutes par jour.

Aucun effet secondaire.

Youpi!

***

Le quatrième cycle me monte à la tête!

Littéralement!

C'est «entre mes deux oreilles» que les effets secondaires sont les plus dévastateurs. Pires que pendant le troisième cycle, où je craignais déjà pour mon équilibre mental.

J'ai toujours tenté d'éviter les épanchements mielleux, tant dans mes chansons que dans ma vie, même sentimentale. Je suis assez fier de posséder un esprit plutôt cartésien et j'essaie de faire preuve de logique et de sobriété dans tout.

Ce cycle me transforme.

Je deviens émotif.

À l'extrême!

Mais ce n'est pas complètement négatif...

Je repense au «roi Richard» dont Hélène a parlé précédemment...

Je suppose qu'au début de mon hospitalisation, j'ai tenu pour acquis l'amour et la présence de mes proches. Mais nous ne savions pas encore qui, de la chimiothérapie ou du cancer, allait gagner.

Il y avait cette possibilité que le traitement échoue, et que je retourne chez moi en sachant que mon avenir se limiterait à deux ou trois mois!

J'en déduisais que les gens qui m'aimaient souhaitaient passer le plus de temps possible avec moi. J'acceptais donc leurs soins et leur gentillesse comme le condamné à mort que je croyais être. Mes demandes, mes exigences, mes «caprices» étaient mes dernières volontés, ou comme le dernier repas du bandit qu'on va pendre.

Comment me refuser quoi que ce soit?

Quand j'ai appris que j'allais vivre, les choses auraient pu changer. Mais elles sont restées les mêmes, parce que l'amour de «mon monde», lui, ne pouvait pas changer.

Puis, certains médicaments ont influencé mes pensées, et j'ai parfois manqué de gentillesse. J'ai souvent été sec, intolérant, désagréable.

J'ai eu des attitudes et posé des gestes regrettables – que je regrettais amèrement, d'ailleurs, je le jure! – qui pouvaient faire croire que je n'étais pas aussi reconnaissant que j'aurais dû l'être.

Un exemple...

La nourriture.

Les médicaments, multiples, que j'avale et qu'on m'injecte altèrent le goût.

Les papilles gustatives, attaquées de l'intérieur et engluées de sécrétions diverses et anormales, font un travail médiocre.

Certains mets que, généralement, j'adore me semblent parfois franchement dégoûtants. Je n'arrive pas à dissimuler mes réactions, aussi authentiques que spontanées.

Mes «chefs» croient que je me plains.

Mais non!

Je suis tout simplement honnête et sincère.

J'en suis désolé, mais je n'y peux rien!

Hélène me prépare des *milk-shakes*.

C'est bon, des *milk-shakes*!

Mais chaque fois qu'elle m'en sert un aux bleuets, la peau des petits fruits bleus, à cause des champignons qui peuplent ma bouche, s'accroche à mes dents, à mes gencives, et je dois travailler fort pour réussir à avaler ma boisson.

Je lui demande donc de le filtrer avant de le verser dans mon verre.

Mais elle ne juge pas cela nécessaire. Ou elle oublie de le faire.

Alors, le prochain *milk-shake* aux bleuets est pareil au dernier milk-shake aux bleuets.

Je risque de m'étouffer.

Je m'impatiente.

J'élève le ton...

Oui... O.K.! J'admets que ça peut avoir l'air d'un caprice!

***

Je me souviens que, de temps à autre, nous avions de petites chicanes.

Nous n'étions pas toujours d'accord sur tout. Nous sommes différents. Et nous vivions les choses différemment.

Alors, comme tous les couples d'amoureux du monde, il y avait des périodes de ressentiment, de tristesse, de «boudin»...

C'était parfois ma faute.

Parfois la sienne.

Qu'importe... nous étions ravis de nous pardonner.

Personnellement, ces brouilles sans grande impor-tance me rassuraient un peu: je me disais que si Richard avait autant de vigueur pour s'exprimer, protester, argu-menter, c'est que la lumière de l'énergie vitale qui l'habitait était bien allumée!

***

C'est donc pendant ce quatrième cycle que j'ai réalisé pleinement tout ce dont je bénéficiais depuis l'annonce de mon cancer.

Tout l'amour.

Tout le travail.

Toute l'abnégation des gens qui m'entouraient. Qui s'oc-cupaient de mon bien-être. Qui posaient chaque jour des gestes concrets pour que je traverse cette période de ma vie le plus confortablement possible.

Hélène. Mes parents. Sylfranc.

Ils ont eux aussi accepté que, sur l'immense lecteur de DVD cosmique, leurs vies soient indéfiniment en suspens. En attendant que le disque de mon existence recommence à tourner.

Pour reprendre le fil de leur histoire en même temps que moi.

Avec moi.

Je m'étais toujours considéré comme privilégié.

Depuis l'enfance.

Cette période sombre n'a fait que mettre en lumière le cadeau prodigieux que la vie m'a fait!

Au point où il m'est arrivé de fondre en larmes en

voyant entrer dans ma chambre un merveilleux membre de
«mon monde»!

***

*Je crois que Richard n'a jamais passé une seule journée
sans recevoir de la visite!*

*Nous étions d'ailleurs très tristes de savoir que certains
patients n'en avaient que rarement. On se sent tellement
petit quand on est hospitalisé. À plus forte raison quand on
sait que le séjour sera long.*

*Encore plus quand on ne sait pas exactement quand et
dans quel état on sortira de l'hôpital.*

On a tous besoin des autres.

Toujours.

Pendant toute sa vie.

Alors, dans ces moments-là...

*Être seul pour affronter ses doutes, ses peurs, ses pensées
peut avoir des conséquences épouvantables sur la qualité du
temps que l'on passe à l'hôpital et sur les effets des traitements. Les médecins, les psychologues s'entendent pour dire
que le moral d'une personne a une influence directe sur sa
guérison. Quand on est malade, le moral est fragile et sujet à
des fluctuations aussi importantes qu'imprévisibles.*

*Avoir quelqu'un à ses côtés aide à les contrôler et à les
dédramatiser.*

*Bien sûr, pour celui qui accompagne le malade, ce n'est
pas facile de changer son horaire, ses habitudes. De manquer
des heures de repos ou de loisirs pour de longs moments de
veille, au chevet d'un être que la maladie enlaidit, que les
médicaments rendent parfois confus, dans un environnement clos, rempli d'odeurs dont on préfère ne pas connaître
l'origine...*

C'est pourtant une façon drôlement efficace d'apprécier sa propre santé!

Même quand Sylfranc s'est fait moins présent à cause de son travail, Richard ne pouvait pas se sentir abandonné.

Nous étions là!

Nous étions là avec joie!

Rien ni personne n'aurait pu nous en empêcher!

***

Sylfranc, je le connais depuis la maternelle. Ce n'est pas seulement mon meilleur ami, mais le premier être humain avec qui j'ai créé des liens affectifs en dehors de ma famille. Nous nous connaissons par cœur.

Il a finalement décidé d'ouvrir le commerce dont il rêvait.

C'est pour juillet, mais il est déjà très occupé par tous les préparatifs.

Artiste à sa façon, il mettra sur pied une épicerie fine où il vendra des produits du terroir québécois. Des moutardes, des gelées, des conserves pas ordinaires, tout à fait savoureuses.

Il proposera aussi à sa clientèle presque 200 marques de bières provenant de microbrasseries de la province.

Je le verrai moins, mais je suis heureux pour lui.

C'est formidable de faire des projets.

De pouvoir faire des projets.

Il m'arrive de croire que je n'en ferai plus...

***

À mesure que le traitement avance, les séjours à l'hôpital se font plus courts, et mes périodes de vacances, plus longues.

Mais la chance n'est pas de mon côté.

Presque chaque fois, mon congé se termine avant terme. La fièvre s'installe, m'obligeant à me rendre sans tarder à l'urgence de Notre-Dame. Une fièvre est un signe que le corps est attaqué par un ennemi quelconque. Or, le mien ne peut plus se défendre. Il a besoin d'aide.

À l'urgence, pas question de monter à ma chambre en arrivant. Pas question non plus de rester dans la salle d'urgence avec les autres malades. On doit m'isoler. Or, il n'y a que deux chambres d'isolation... Quand elles sont occupées, on m'isole comme on peut.

Dans un bureau vide.

Dans un corridor vide.

N'importe où, pourvu que je ne sois exposé à aucun risque.

Et j'attends... (Nous attendons... Hélène, heureusement, est presque toujours avec moi.)

Pendant des heures!

Il m'est arrivé de passer plus de 24 heures dans ce qui ressemblait à un placard à balais! L'infirmière qui m'y avait enfermé avait oublié d'avertir sa remplaçante de ma présence!

L'humour, presque chaque fois, nous sauve et nous empêche de faire une crise de nerfs, crise qui serait amplement justifiée mais ne servirait à rien.

Notre sujet favori: l'endurance du corps humain!

J'ai beau raconter en long et en large ce à quoi mon corps a miraculeusement survécu, les mots, malgré la richesse de la langue française, n'arriveront jamais qu'à donner une faible idée des souffrances que j'ai endurées.

Oh... je n'ai fait preuve d'aucun héroïsme!

Je n'avais tout simplement pas le choix!

Des choix, Hélène et moi n'en avions qu'un: pleurer ou rire.

Nous avons fait les deux.
Dans l'ordre.
Chaque fois.
Chaque fois, nous finissions avec le rire.

***

Je ne peux pas m'empêcher d'éclater de rire en revivant cette scène pourtant pas drôle du tout: Richard, dans cette minuscule pièce, assis depuis des heures sur une chaise droite, malade et inquiet, à bout de patience, qui me dit gentiment: «Rentre à la maison si tu veux. Tu pourrais dormir un peu.»

Pas question que je le laisse seul dans cet endroit!

Il était 3 h 30 du matin!

Nous étions enfermés là depuis une éternité.

Notre conversation commençait à compter plus de silences que de mots.

Et nous n'avions aucune idée du temps qu'il nous faudrait encore attendre avant qu'on vienne le chercher.

Alors, si je ris en racontant cette anecdote, c'est peut-être que je retrouve l'état de fatigue extrême de cette nuit-là. Semblable aux fins de partys, quand on est épuisé, un peu ivre et que même les blagues plates nous font rire!

***

CHAPITRE 11

JE VEUX VIVRE!

À la fin du quatrième cycle, nouveau congé, je reviens à la maison.

Samedi matin, Hélène, pleine d'énergie, me propose d'aller marcher.

Sa philosophie, à ce moment-là, c'est qu'il faut bouger.

Coûte que coûte!

L'inertie est néfaste.

La paresse s'installe facilement.

L'oisiveté est la mère de tous les vices.

Et ainsi de suite...

Je me dis que si elle était dans ma peau seulement 10 minutes, elle s'écraserait sur le sol, n'importe où, et refuserait de faire le moindre mouvement!

Mais elle insiste: «Un petit tour. Jusqu'au guichet automatique. Ça va te faire du bien, un peu d'air frais.»

Elle est resplendissante! Elle veut à tout prix que je me fasse du bien!

Le guichet automatique en question est à deux pâtés de maisons de chez nous. Mais dans l'état où je me trouve, elle pourrait tout aussi bien me proposer une course de 45 kilomètres!

Je finis par me laisser convaincre.

Ce que femme veut...

Nous sommes donc sortis. Et nous avons marché.

Lentement.

Très lentement.

Cinq minutes plus tard, trois maisons plus loin, j'étais exténué.

J'avais le cœur qui cognait. Qui battait à un rythme d'enfer.

J'ai dû m'arrêter devant une maison et m'asseoir dans l'escalier pour me reposer. Une halte qui allait se répéter tout au long de ma promenade. Jusqu'à ce que je demande à Hélène de me laisser là et d'aller chercher la voiture pour me ramener à la maison.

Je me sentais incapable de faire un pas de plus.

Hélène a quand même voulu que je revienne à pied. Un retour qui s'est passé comme l'aller, aussi péniblement, avec autant de pauses.

J'avais 125 ans!

J'habitais le corps d'un vieillard.

Un vieillard malade, affaibli tant par la maladie que par les médicaments, accablé de rhumatismes, d'arthrite et de tous les maux connus et inconnus que la vieillesse apporte, sans parler des moments d'angoisse et de la peur de la fin.

On a beaucoup parlé de la douleur reliée à la chimio-thérapie.

Or, c'est bien pire que de la douleur.

C'est un «état» de douleur.

Généralisé.

Dans les os. Les muscles. Partout!

Qui ne nous laisse pas un instant de repos. Pas une seconde de bien-être.

Et dans les pires moments, quitter son fauteuil pour se rendre aux toilettes représente un défi!

***

Je croyais bien faire!

L'infirmière m'avait dit que l'exercice était bon pour Richard.

Elle avait dit: «un peu» d'exercice! Mais je ne pouvais pas savoir que pour Richard, la différence entre «un peu» et «trop» était si mince!

Je voyais bien que Richard était faible. Qu'il avait perdu du tonus. Que sa masse musculaire avait fondu.

J'étais persuadée que l'exercice, justement, l'aiderait à retrouver un air de santé.

Erreur.

Cette marche a été de la torture pour lui.

(Pardonne-moi, mon amour!)

***

Court répit où je ne me sens pas trop mal.

Week-end mémorable.

À Ottawa.

C'est Hélène qui prend le volant. Mes yeux refusent toujours de coopérer: chacun a son propre champ de vision!

Nous assistons au baptême du dernier-né dans la famille d'Hélène, le fils de son frère. Un beau bébé qui s'appelle Mathis!

Mais le souvenir que je garde de cette fin de semaine, c'est d'abord Hélène et moi amoureux.

Petit hôtel sympathique.

Restaurant. Souper en tête à tête.

Nous recommençons à parler d'avenir.

***

Mais l'angoisse ne me quitte jamais longtemps...
Ce jour-là, j'ai le cœur au bord des larmes.
Tout le temps.
Je suis dans un état de dépression profonde.

Il suffit qu'un visiteur me demande comment je vais pour que je me mette à pleurer, comme un enfant que ses parents accompagnent à la garderie le premier jour.

Hélène est là, mais ne sait plus quoi faire ou quoi dire pour me remonter le moral. Je suis inconsolable.

Je finis par demander à voir la psychologue de l'hôpital et j'obtiens un rendez-vous pour une consultation dans trois jours.

Dans le bureau, nous parlons d'abord de choses et d'autres, puis je dis: «Vous devez trouver ça difficile de travailler avec des patients malades et déprimés?»

Elle sourit.

Et m'explique qu'elle a passé une partie de sa vie comme intervenante auprès de gens en difficulté, qui n'avaient plus aucun espoir et avaient des idées suicidaires.

«Ici, dit-elle, je travaille avec des gens qui veulent vivre!»
Ces mots-là m'ont frappé en plein cœur!
Vivre!
Je veux vivre!
Et cette femme le sait!

Je n'ai pas besoin de décrire mon accablement dans les détails. Elle connaît et comprend la dépression que je vis.

Elle me propose des antidépresseurs: «Légers. Juste assez forts pour vous aider en cas de crise... Et n'oubliez pas que je suis là!»

Je n'ai jamais pris une seule de ces pilules. Je les ai rangées dans mon armoire à pharmacie. De savoir qu'elles étaient là me suffisait.

***

Je suis laid.

Mûr pour jouer dans un film d'horreur.

Je n'aurais même pas besoin de maquillage pour faire peur.

Alors j'évite les miroirs.

Pas par coquetterie.

Parce que, dans ma tête, je veux garder une image de moi en santé.

Pour y croire.

***

Mes retours à la maison sont de plus en plus «médicamentés».

J'ai un panier contenant des dizaines de petites bouteilles transparentes.

Une pharmacie complète! Médicaments pour ceci, contre cela...

Certains à prendre quotidiennement.

D'autres aux deux jours. Aux trois jours.

Le matin. Le midi. Le soir.

Avec ou sans nourriture.

(Jean Coutu a fait beaucoup d'argent avec moi! Le Neupogen, à lui seul, coûte 137 $ la dose!)

Le Neupogen, qu'on injecte de façon sous-cutanée, aide à rééquilibrer mon système en encourageant la moelle épinière à fabriquer des globules blancs, ce que fait naturellement le corps quand on est en santé.

Depuis quelque temps, Hélène me donne elle-même les piqûres. Elle le fait bien, avec une extrême tendresse, en me répétant que c'est une manière de participer activement à ma guérison.

***

Je suis fatiguée.

Je travaille fort.

Je dors mal.

Je me nourris mal.

J'ai perdu 15 livres.

Une copine me dit: «Il faut que tu prennes soin de toi! Sinon, tu vas tomber malade toi aussi! Cours chez ton agent de voyage et paie-toi une semaine dans le Sud! Donne-toi un peu de plaisir! Ça va te faire du bien!»

Je sais qu'elle dit tout ça «pour mon bien», justement.

Mais elle n'a rien compris!

Oui, j'admets que j'ai besoin de me reposer. De me changer les idées.

Mais partir sans Richard, c'est impossible! Je ne profiterais pas de mon voyage. Je serais inquiète. Je me sentirais lâche de l'abandonner. C'est un geste inimaginable!

Même quand je m'offre une «sortie de filles» avec des amies, histoire de prendre un verre, de rigoler un peu, je n'arrive pas à me sentir «légère».

Il n'y a rien de léger dans mon histoire, parce que mon histoire, c'est l'histoire de Richard et moi. Richard traverse un moment terrible. Évidemment, je le traverse avec lui!

Par contre, je profite régulièrement et avec un énorme plaisir des bienfaits du massage.

Le besoin d'être touché est si fort chez l'être humain!

Peut-être davantage chez la femme. Un massage a certaine-
ment pour but la détente, mais ce sont aussi des minutes
d'une grande intimité, de douceur, de sensualité qui peuvent
faire beaucoup de bien au cœur et à la tendresse.

Pour ma part, j'en ressortais chaque fois apaisée et,
d'une certaine façon, plus forte pour affronter les difficultés
du quotidien.

***

Le soleil. L'air nouveau du mois de mai.

Le printemps est arrivé.

J'ai toujours aimé le printemps.

L'été s'en vient.

J'adore l'été.

Est-ce que le printemps va régénérer mon corps et mon
esprit comme il ressuscite le parc, en face de Notre-Dame?

Est-ce que tout ira mieux cet été?

Est-ce que je pourrai travailler à l'automne?

Des questions que je ne devrais pas me poser.

Que je me pose quand même.

Auxquelles je réponds certains jours par oui.

Certains jours par non.

Le travail...

Je suis toujours un artiste, parce que c'est ma nature.

Mais... je ne suis plus chanteur. Compositeur.

Ni rocker. Ni *performer*.

Je n'ai plus rien d'un *entertainer* à succès!

Je suis un patient.

Et si je compte les jours qu'il me reste pour guérir avant
de pouvoir reprendre mon métier et redevenir moi-même
«au complet», je peux difficilement imaginer mon retour
sur la scène artistique avant l'automne 2007.

J'ai un contrat de disque.

Mais encore faut-il que j'écrive les chansons.

Si tout va bien, mon CD a des chances de voir le jour au printemps 2008!

Dans deux ans!

Une éternité!

***

Grâce au cycle cinq, je vais arrêter de me poser des questions: je réalise que jusque-là, je ne faisais que me battre contre un cancer.

Bataille de coqs.

D'adolescents dans une cour d'école.

Maintenant, c'est la guerre!

La vraie.

La dangereuse.

Celle qui fait des estropiés et des morts!

Je suis le soldat dans sa tranchée, dans le silence d'une nuit sans lune, qui tombe de sommeil, qui résiste à l'envie de fermer les yeux. Qui se dit depuis la dernière attaque que c'était peut-être la dernière.

Et qu'on l'a oublié.

Et qui se trompe!

Les bombardements reprennent. Plus terribles.

La pluie tombe. L'orage éclate.

Quand il aura froid, il ne pourra pas allumer de feu.

Quand il aura faim, il se rendra compte qu'il n'a rien à manger.

Il restera dans son trou pendant des jours.

En sortira-t-il?

Reverra-t-il son amour?

Sa famille, ses amis?

La suite au prochain épisode.

S'il y a une suite.

Voilà où j'en suis dans ma propre histoire...

J'ai faim.

J'ai soif.

Mais il m'est impossible d'avaler quoi que ce soit.

Ni nourriture. Ni eau.

À cause d'une mucite encore plus costaude que toutes les dernières additionnées. Même l'air qui entre dans ma gorge me griffe!

Je veux de l'espoir.

Celui que l'on m'offre ne me satisfait pas.

Je veux marcher au soleil!

On me l'interdit.

Je suis condamné à rester allongé dans un lit. Et même cette position est inconfortable.

Je veux penser autrement qu'à travers le brouillard humide qui s'accroche à mon cerveau!

On me gèle au dilaudid!

***

Si j'ai appris quelque chose pendant cette période sombre de notre existence, c'est certainement l'abnégation.

Je ne savais pas que l'on pouvait aller aussi loin dans l'oubli de soi.

Et je m'en croyais personnellement incapable.

Avant que les signes extérieurs de la maladie de Richard n'apparaissent, c'était, d'une certaine façon, plus facile de le soigner.

Quand il s'est mis à maigrir

qu'il a perdu ses sourcils, ses cils,

quand les effets secondaires de la chimiothérapie se

165

sont conjugués pour détruire son corps.

Quand certains médicaments se sont mis à brouiller son esprit, à provoquer des idées tellement noires que, malgré tous les efforts, sa raison s'assombrissait,

quand il a commencé à s'enliser, de plus en plus souvent, dans un état de dépression dont il n'arrivait plus à se sortir,

J'ai eu, moi aussi, des moments d'angoisse.

Mais j'avais la santé et l'appui pour les surmonter.

Malgré tout, ç'a été une torture de voir Richard, pendant le cinquième cycle de son traitement, totalement anéanti.

Parce que je ne pouvais rien faire d'autre qu'être à ses côtés.

***

CHAPITRE 12

LE RETOUR À LA VIE PUBLIQUE

Je suis heureuse de faire ce que je fais pour Richard.

Et je déteste l'expression «aidant naturel»!

Elle sous-entend obligation, responsabilité, mérite, héroïsme... qui sont tous des mots qui m'irritent au plus haut point!

C'est par amour que j'aide mon chum!

Par choix.

Je ne veux pas qu'on me donne une médaille pour l'amour que je donne.

Je le donne!

Et pour donner le mieux et le plus efficacement possible, il faut s'informer, s'équiper et être bien entouré!

L'information, comme je l'ai dit, ma mère m'en donnait pas mal. Les infirmières de l'étage où on soignait Richard ont été des anges de gentillesse et des puits de connaissances où j'ai allégrement puisé. Elles m'ont équipée en seringues et en compresses, mais aussi en savoir-faire.

Et si j'ai parlé de ceux qui entouraient Richard, de leur amour et de leur soutien moral, il est peut-être temps que je parle de ceux qui m'ont aidée à traverser cette période difficile.

Maman, avec qui mes rendez-vous téléphoniques étaient si positifs.

Mes «chums» de filles, cinq amies exceptionnelles qui font partie de ma vie depuis plus de 20 ans...

Comme je travaillais beaucoup et que je passais la plupart de mon temps libre avec Richard, elles étaient merveil- leusement généreuses dans leurs courriels, laissaient souvent de gentils mots sur le répondeur, et il n'était pas rare que je rentre à la maison pour trouver un petit mot dans la boîte aux lettres, un repas ou une bouteille de vin sur le balcon.

Je savais que je pouvais compter sur chacune d'elles, que leur amitié ne me décevrait jamais.

C'est toujours vrai.

Quant aux gens que je croisais au travail, bien que ce soit un cliché assez «cucu» de dire que les artistes forment «une grande famille», il est vrai que mes compagnons avaient tous beaucoup d'empathie pour ce que je vivais. Il ne se passait pas une journée sans que l'un d'eux me demande: «Et comment va Richard?»

Jusqu'à ce que je leur dise: «Vous êtes gentils de vous informer de l'état de santé de mon chum. Mais j'aimerais que vous me demandiez à moi comment je vais!»

Je ne suis pas une diva, ceux à qui je m'adressais le savaient.

Et j'ai dit ça sur un ton rempli d'humour, bien sûr.

Ils ont compris que je souhaitais simplement avoir le droit de parler d'autre chose et, au travail, de vivre «nor- malement», ne pas être traitée comme une grande brûlée!

***

Les jours où je n'allais pas trop mal, j'aimais aller marcher avec Hélène. Parfois, nous prenions la voiture pour faire un petit tour à la campagne. J'étais ravi quand nous pouvions trouver un coin tranquille près d'un lac ou d'une rivière.

Mais le plus souvent, nous nous promenions à pied, sans nous presser, dans notre quartier ou au centre-ville, à deux pas de chez nous.

Je ne crois pas en Dieu. Je l'ai déjà dit.

Mais j'aime les églises. Les temples.

Je suis certain que les rites et les prières des croyants influencent positivement ces endroits. Que leur ferveur contribue à ce que le côté sacré de ces lieux soit aussi évident dès qu'on y pénètre avec respect.

Souvent, Hélène et moi y sommes entrés.

Pour nous recueillir.

Un jour, alors que je doutais de tout, y compris de mon traitement et de ma guérison, je me souviens d'avoir pensé: «Si Tu existes vraiment... fais quelque chose. Je n'en peux plus!»

Et j'ai pleuré, pleuré, pleuré.

Je n'ai pas été ébloui par la Lumière.

Le Saint-Esprit ne m'a pas touché.

Je n'ai pas trouvé la foi.

Mais ma prière, ce jour-là, était sincère, et de l'exprimer dans ce lieu, même en silence, m'a fait du bien.

***

Il y a une très belle église près de Radio-Canada.

J'y entre souvent.

Je dois dire que je trouve dommage que les églises, depuis quelques années, soient souvent fermées. Avant, elles ouvraient leurs portes à toute heure du jour ou de la nuit. Je sais qu'il y a des raisons à cela: moins de fidèles les fréquentent, des sans-abri s'y installent, elles font l'objet de vandalisme, etc, mais personnellement, ça m'attriste. On a parfois besoin de se retrouver dans une «zone neutre», inspirante, propice au ressourcement. Elles offrent tout ça.

Même si je ne pratique aucune religion, j'aime ce silence un peu mystérieux qui habite les églises. On ne s'y sent jamais seul. Et même si l'on ne croit pas au dialogue avec Dieu, on peut toujours se faire la conversation à soi-même. Ce n'est jamais du temps perdu.

Richard et moi allions assez souvent nous recueillir dans l'une ou l'autre des églises de Montréal. Je me souviens d'avoir pleuré avec lui. Longuement. Plusieurs fois.

Nous vivions des moments si difficiles.

Au fond... qui sait? Dans une église, les larmes se transforment peut-être en prières.

***

Mon œil retrouve en partie sa motricité. Le nerf optique se refait.

Il ne s'accorde pas encore parfaitement avec son jumeau, mais l'amélioration de ma vision est notable et rapide.

Quant à ma joue, elle en a pour longtemps à rester «engourdie»: 10 ans peut-être. Mais, là aussi, un miraculeux travail de reconstitution s'opère, jour après jour.

***

À la fin du mois de mai 2006, mon ami Denis Fortin, propriétaire du Radio-Lounge et animateur à la station Énergie 94,3, met sur pied une vente aux enchères.

Pendant deux semaines, les auditeurs sont invités à miser sur des objets appartenant à leurs stars

174

préférées, objets qui sont présentés sur les ondes de Télé-annonces.

Le but: recueillir de l'argent pour la Fondation canadienne du lymphome, et me soutenir dans mon combat contre la maladie.

Plus de 100 artistes ont tenu à faire leur part.

Grâce à Marie-Chantal Toupin, Éric Lapointe, Laurence Jalbert et Mahée Paiement, entre autres, on a pu accumuler la somme de 26 775 $!

La Fondation canadienne du lymphome avait un excellent site Internet, mais en anglais. Sur le montant amassé, 20 000 $ ont servi à créer une division en français, appelée Lymphome Québec.

Avec le reste de l'argent, on a acheté des téléviseurs neufs pour les huit chambres du service d'hématologie de l'hôpital Notre-Dame. Elles ne seront installées qu'à la mi-juin 2007, mais à partir de ce moment, tous les patients qui occuperont ces chambres auront droit à la télé et au câble gratuitement! (télécommandes «non frustrantes» incluses, évidemment)!

***

Nous sommes en juin.

Première sortie publique depuis l'annonce de mon cancer: le gala Artis.

Il faut dire que pendant ce week-end, je me sens particulièrement en forme. J'ai le goût de voir du monde! Et je verrai du monde: la colonie artistique au complet assiste à cet événement extraordinaire!

Hélène est en nomination comme meilleure actrice pour sa participation à la télésérie *Les Bougon*. Elle remporte le prix.

Je suis fier d'être à son bras.

Tous les gens que je croise ont un mot gentil pour moi.

Quelle joie de reprendre une vie sociale!

De faire un tour de piste avec la planète.

De sortir.

De prendre un verre de vin.

De me coucher tard.

Quel bonheur!

***

Au gala Artis, j'étais tellement fière de mon amour!

Les gens étaient heureux de revoir Richard.

De nous voir ensemble.

Et je crois que nous étions resplendissants de bonheur!

Richard, même sans cheveux, sans sourcils, sans cils, même terriblement amaigri, était d'une rare élégance: complet superbe et chapeau!

Je portais une robe que j'adorais et que j'avais choisie avec soin.

Je me sentais belle!

C'était vraiment un soir de gala.

Le soir de bal de Cendrillon et de son prince charmant!

Bien sûr, j'ai été ravie de remporter un trophée.

Mais ma plus grande joie venait du fait que nous reprenions goût à la vie!

***

Le sixième cycle est moins lourd que les précédents.

Je ne suis plus considéré comme un «résident» de l'hôpital.

J'y entre le lundi matin, on m'emmène dans une «salle de jour», je reçois mon cocktail chimique et je reviens chez moi. Et tout recommence le mardi et le mercredi.

Jeudi et vendredi, on me remet dans de petits sacs les doses de médicaments qu'Hélène m'injectera chez nous, matin et soir.

Les choses se passent beaucoup mieux: pas de mucite et pas de neutropénie!

Je crois rêver!

Et j'ai droit à 12 jours de vacances!

Il faut seulement être attentif au taux de plaquettes dans mon sang.

Je reprends espoir.

Mes idées sont plus claires et plus sereines.

Il fait beau et doux.

La province est en fête: c'est le week-end des célébrations de la Saint-Jean-Baptiste.

Je me sens suffisamment bien pour sortir de la ville.

Hélène et moi allons passer ces deux jours à Bromont, dans un centre de santé, où nous nous faisons dorloter: bains de toutes sortes, massages caressants, chaleur, douceur et paresse sont les «activités» au programme.

Hélène profitera de tout ça.

Pour ma part, je m'applique à suivre les conseils de l'infirmière en chef de l'hôpital, qui m'a informé avant notre départ des choses à éviter à tout prix: piqûres, coupures, coups violents, et «attention au bain tourbillon, dont la force des jets pourrait causer des hématomes!»

Alors, je teste la réflexologie et me laisse masser les pieds.

Puis, chaise longue et relaxation totale!

Comme je vis depuis plusieurs longues semaines dans le feu et les tortures de l'enfer, j'ai l'impression d'être au paradis!

Nous assistons au show d'humour de mon frère, Martin Petit, au Chapiteau Bromont.

Excellent show, excellente salle de spectacle.

Je profite du temps qui passe.

Rien ne me presse.

Le prochain traitement est prévu pour le 8 juillet.

C'est loin, loin, loin...

***

Le 2 juillet, *road trip* en amoureux.

Des amis nous prêtent leur jeep.

Direction la Nouvelle-Angleterre.

Le Vermont. Le New-Hampshire.

Dans le Maine, à Kennebunk Park, nous retrouvons mon médecin, le Dr Blais, avec qui je me suis lié d'amitié, qui nous présente sa femme et leurs deux enfants.

Souper sympathique.

Bonne humeur omniprésente.

Et, comme je suis chez un ami médecin, un sentiment bienvenu de sécurité m'habite: parce que je suis aux États-Unis, entre deux chimios, donc fragile...

C'est avec eux que nous fêterons le 4 juillet!

Pour le retour, nous empruntons un itinéraire dans les montagnes.

Nous nous arrêtons au Mount Washington Hotel, un hôtel magnifique du début du siècle, sur un site de rêve!

Un séjour superbe.

***

Ce séjour dans un spa, à Bromont, a été extrêmement bénéfique pour nous.

Nous nous sommes retrouvés.

Amoureux.

Légers d'une légèreté que nous n'avions pas connue depuis longtemps.

Pleins d'espoir.

Comme si nous assistions au lever du soleil après une nuit d'orage.

Richard aime «se faire steamer», une expression qu'il utilise pour décrire les interminables douches bouillantes qu'il affectionne. Il aime l'eau. Il aime la chaleur. C'est un homme d'une grande sensualité. Qui adore se faire toucher. Caresser. Masser. (Des gestes dont il est aussi très généreux envers moi.)

Un centre de santé comme celui où nous étions lui convenait parfaitement même si, à cause de sa maladie, il n'a pas profité de tous les services offerts.

Ce n'était que partie remise!

Quant au voyage en Nouvelle-Angleterre, il nous a permis, lui aussi, de réintégrer encore plus sûrement notre histoire de couple jeune et amoureux, de «socialiser» avec des gens charmants et de visiter des sites enchanteurs.

De vivre!

***

Dimanche soir, je rentre à l'hôpital.

Pour commencer, lundi, d'autres traitements.

Le septième cycle!

(Celui dont je me souviendrai toute ma vie comme d'un tortionnaire cruel et sans pitié, à l'imagination sans limites! Auquel je survivrai sans jamais comprendre comment...)

Ce septième cycle, donc, ressemble au premier...

Du solide!

Même cocktail chimique extrapuissant.

Mêmes effets secondaires super désagréables.

Or, mon pauvre corps est en très mauvais état.

Usé jusqu'à la corde!

Il me semble que je serais mûr pour un mois de repos complet. Et je me méfie des conséquences d'un traitement aussi violent sur un organisme pratiquement en voie de disparition!

La vérité toute simple, c'est que j'ai la «chienne»!

J'en parle à mon médecin, qui m'assure qu'il augmentera les doses d'antidouleurs au maximum en espérant que je ne souffre pas trop.

Curieusement, ça ne calme pas mon angoisse.

Comme j'avais raison de me méfier!

Déjà, après trois jours de chimio, je ressens les premiers symptômes d'une mucite. Ce n'est pas bon signe! J'ai beau me gargariser aux 10 minutes avec de l'eau et du sel, rien à faire!

Autre surprise: généralement, quand je rentre à la maison le vendredi soir, je me sens assez bien.

Pas cette fois!

Ma condition se détériore comme jamais auparavant. J'ai l'impression d'avoir été piétiné par une équipe de football!

Je m'installe dans la chambre d'ami pour ne pas incommoder Hélène outre mesure.

Cette fois, les champignons, qui ne sont pourtant pas hallucinogènes, m'en font voir de toutes les couleurs! Ma mucite est majuscule! Elle me fait peur tellement j'ai mal.

Je ne peux même plus avaler ma salive.

Même les gargarismes (ben oui: j'en ai deux, un bleu, un rose!) avec lesquels j'essaie de soulager ma gorge me font vivre un supplice.

Je bave.

Je crache.

Et j'ai mal.

Le dilaudid (en comprimés maintenant, donc moins efficace) aide à supporter la douleur, mais me plonge dans un état presque végétatif, un état dont je n'émerge que de brefs moments, tellement douloureux que je m'y replonge presque avec joie.

En fait, je me souhaite un coma formidable dont je ne ressortirais que dans un mois, longtemps après que la douleur aura disparu.

Je suis une larve humaine!

Parenthèse sur le dilaudid: c'est une drogue semblable à la morphine. Qui peut donc créer une dépendance. Plus rapidement qu'on pourrait le croire. C'est dire qu'après en avoir ingurgité pendant sept ou huit jours, mon corps en redemande! Période de sevrage désagréable.

De plus, les «buzzs», à la longue, sont moins plaisants et me donnent l'impression d'avoir la tête dans un nuage sale.

Au bout de quelques jours, il est évident que je dois rentrer à l'hôpital.

J'y arrive en pleine neutropénie.

C'est pire qu'un cauchemar...

JE SUIS un cauchemar!

***

Dimanche après-midi, je traverse le parc Lafontaine pour aller faire: «Coucou!» à ma blonde, que je n'avais pas prévenue. Suivent quatre jours atroces.

Pénible «gueule de bois».

Brumeux *hang-over* dû au dilaudid.

Pendant lequel je commence à avoir peur du prochain traitement.

***

CHAPITRE 13

INQUIÉTUDE ET ESPÉRANCE

Je n'ose pas penser au huitième cycle, même si je sais que ce sera (officieusement) le dernier: quand je constate l'état dans lequel je suis, j'ai des raisons de me demander si le traitement a été efficace!

D'ailleurs...

Des test seront faits pour évaluer le taux de réussite.

S'ils ne sont pas satisfaisants, il faudra recommencer.

Ou je devrai subir un traitement plus court, dont la dernière procédure sera une greffe de moelle osseuse...

De quoi me donner la frousse!

Mais je n'en suis pas encore là.

***

J'apprends que le huitième cycle est identique au sixième, celui qui m'a le moins fait souffrir.

Encourageant!

Tout se passe effectivement bien.

Hourra!

Pas de neutropénie!

Double hourra!

Il se terminera le 11 août 2006.

Malgré la douceur relative de ce dernier traitement, j'en sortirai à bout de forces, complètement détruit, physiquement et moralement.

***

Richard n'est plus que l'ombre de lui-même.

Un autre cliché...

Mais je ne trouve rien de plus approprié pour décrire mon chum à la fin du huitième cycle.

Il doit faire plusieurs siestes par jour.

Il ne mange presque pas.

Il n'a aucune envie.

Aucun enthousiasme.

Son corps tout entier a subi de lourds effets, y compris son cerveau, dont les neurotransmetteurs sont gravement atteints.

Rien d'irréparable, cependant.

Ça reviendra. C'est sûr!

Patience...

***

L'automne arrive.

Hélène devra bientôt reprendre le travail. C'est sa dernière chance de se reposer un peu. Elle en a grand besoin! Elle part pour quelques jours au chalet de ses parents.

Je vais passer une semaine chez les miens.

À propos... ils habitent toujours à Laval. Et c'est la maison de mon enfance qui m'accueille chaque fois que je leur rends visite ou que je vais m'y reposer.

Leur fidélité est exceptionnelle!

Comme toujours, je suis entouré de soins et de gentillesse à chaque seconde de mon séjour. Mais je ne suis pas encore complètement sorti de mon état de malade.

Je vis comme si j'avais la tête dans un sac de coton.

Comme détaché du monde qui m'entoure, l'esprit torturé par des pensées grises, et je n'arrive pas à me concentrer sur quoi que ce soit.

Je suis un ballon qui flotte dans l'espace, que le moindre courant d'air déplace.

J'ai besoin d'aide.

Professionnelle.

J'aurai recours à un excellent psychologue, qui réussira, en trois consultations, à me rassurer. Il m'expliquera que la chimiothérapie a grandement affecté mes neurotransmetteurs, et qu'ils prendront un certain temps à se refaire et à se rebrancher.

Pour l'instant, c'est la pagaille, la mésentente totale entre eux: ils refusent de communiquer!

Grève générale!

Ils finiront par négocier des ententes et reprendre le travail normalement. La mécanique du cerveau, peu à peu, se remettra à fonctionner comme avant.

Les idées noires vont s'estomper.

C'est le psychologue qui le promet.

Je le crois!

Rien de dramatique, donc.

Je dois seulement faire preuve de patience...

Même ça, ça me paraît difficile.

De la patience, l'existence en exige tellement depuis des mois! Mes réserves sont à bout et je ne sais plus où en puiser.

J'ai hâte d'écrire le mot fin à ce chapitre de mon histoire.

Mais j'ai peur de devoir écrire le mot fin... à mon histoire!

Ce n'est qu'en septembre que je subirai les tests définitifs.
C'est bientôt...
Et terriblement loin!
Je suis inquiet.

***

Nous étions tous inquiets!

Les parents de Richard, mes parents, nos amis. Tous ceux qui, de loin ou de près, avaient suivi Richard sur le chemin que la vie l'avait forcé à prendre étaient inquiets.

Il fallait espérer le meilleur.

Mais le pire était encore possible.

L'aide du psychologue était nécessaire et s'est avérée salutaire. Il a su trouver les mots qui rassurent. Après chaque rendez-vous, Richard revenait à la maison un peu plus serein et confiant que les beaux jours allaient revenir.

Pour ma part, les quelques jours passés au chalet de mes parents m'ont fait du bien. Évidemment, je ne suis pas arrivée à «décrocher» totalement de mes préoccupations des derniers mois, mais le fait de me retrouver dans un environnement sain, avec des gens en santé, heureux de vivre, m'a aidée à croire que Richard et moi allions bientôt connaître tout cela à nouveau.

***

Enfin septembre!

On refait tous les tests que j'ai passés en février, au début de mon hospitalisation.

Je revois le gastroentérologue. Biopsie des tissus de l'estomac.

Dès le lendemain, il appelle à la maison. C'est Hélène qui répond et m'apprend la bonne nouvelle: de ce côté, tout va pour le mieux.

Même chose pour la glande thyroïde.

Le cardiologue m'annonce que mon cœur est en parfait état!

Tous les autres tests sont également négatifs!

Le vœu de guérison complète exprimé par le Dr Blais avant d'entreprendre le traitement est exaucé!

Ou presque...

Il reste une inquiétude...

Le TEP (mais oui, souvenez-vous: la tomographie par émission de positons!) révèle trois minuscules lésions sur un rein. Le test ne peut cependant pas déceler si ce sont des cellules cancéreuses ou de simples inflammations du tissu rénal. Ces lésions étaient apparues lors du premier TEP, en février, et le médecin m'assure qu'elles semblent beaucoup moins importantes.

Si elles diminuent, elles font le contraire des cellules cancéreuses: logiquement, ce n'est donc pas de ça qu'il s'agit.

Ce n'est peut-être rien du tout.

Mais j'ai toujours en mémoire les premiers tests, nombreux et divers, que j'ai passés avant qu'on découvre mon cancer. Chaque fois, «ce n'était rien».

Il faudra faire un autre test... en novembre.

Patience. Encore!

Mais je reprends confiance.

J'en déduis que mes neurotransmetteurs sont en forme et ont convenu de travailler dans la bonne humeur, main dans la main!

Et je reprends des forces.

Je reprends goût à la vie.

Je regarde Hélène avec des yeux neufs.
Je suis vivant.
Et nous sommes encore deux!
Tout est possible!

***

À l'automne, Richard prend du mieux.
Nous pouvons aller marcher.
Manger au restaurant.
Prendre un verre de vin. (Pouvoir faire «tchin tchin, mon amour» en nous regardant dans les yeux... Quelle joie!)
Nous retrouvons une vie qui nous permet d'échanger, de partager, de communiquer, de nous aimer!
La maladie nous avait dissociés d'une terrible façon. En nous laissant en présence l'un de l'autre, mais séparés par une grille de métal froid, un peu comme un prisonnier et sa visiteuse.
Nous vivons en quelque sorte des retrouvailles.
Une grande part de joie.
Une part d'inquiétude: saurons-nous redevenir les amoureux fous que nous étions avant cette histoire?

***

Reste maintenant à reprendre le contrôle de ma vie.
À réintégrer la vie.
À reprendre la place que j'avais quittée.
À vivre.
Puisque je suis vivant!
Mais tout ça se fait doucement.
Il faut revenir à la vie doucement.
Même si je me sens prêt pour une overdose de vie!

Je veux abuser de tout!
Travail.
Musique.
Amour.
Et, justement, Noël s'en vient!

***

Novembre...
Un test de fonction rénale.
Grâce auquel j'ai des nouvelles de la masse qui a poussé dans mon ventre avant le traitement: c'est elle qui a détruit mon rein. Il ne fonctionne plus qu'à 1 %.
Sachant qu'il est presque mort, nous allons utiliser la radiothérapie pour en finir avec ces lésions mystérieuses.
Ce sera fait en décembre.
Vingt-quatre traitements.
Radical!
L'être humain peut très bien vivre avec un seul rein. J'en fais la preuve chaque jour.

***

Plusieurs personnes, proches ou moins proches, ont tenu à souligner «le courage dont j'avais fait preuve en restant près de Richard». Parmi elles, certaines ont même affirmé qu'elles n'auraient pas pu s'oublier à ce point, et qu'elles seraient sans doute parties, tôt ou tard.
Je n'en reviens pas!
D'abord, il ne s'agit pas de courage, mais d'amour!
Le courage, chacun le trouve quand il en a besoin. Nous sommes tous doués d'une force surhumaine quand nous faisons face à quelque chose de surhumain!

Pour ma part, jamais, pas un seul instant, je n'ai pensé laisser Richard!

Même en imaginant que notre amour soit mort en cours de route, je serais restée près de lui!

Je sais que si j'étais partie, sa mère aurait ajouté mes tâches aux siennes sans rien dire.

Mais l'amour d'une mère demeure de l'amour maternel. Richard est un homme.

Il avait besoin d'une femme, de la tendresse d'une femme.

Pour lui rappeler que, même malade, même s'il n'avait ni le goût de faire l'amour ni la force de le faire, il n'en était pas moins un homme.

Quand je le prenais dans mes bras, que je caressais doucement sa poitrine, que je le cajolais, que je lui disais des mots doux à l'oreille, mon amour de femme n'aurait pas pu être remplacé par l'amour d'une mère!

(Sans compter que pour ses parents, surtout pour sa mère, on est toujours un enfant!)

***

Si j'ai pensé qu'Hélène pouvait me quitter, c'est seulement au début.

Avant de savoir.

Dès que le monstre a été découvert et que le combat a commencé, Hélène, déjà présente à mes côtés, est devenue présente dans tout mon être. Elle est entrée dans ma tête, dans mon cœur, dans tout ce que j'avais de vivant, pour en chasser la maladie et empêcher la mort d'y entrer.

Ce qu'elle a accompli magnifiquement, avec grâce, avec amour; avec gentillesse, avec humour; avec tout ce qui fait que je l'aime. Je n'ai jamais douté qu'elle serait là jusqu'au bout, quoi qu'il advienne.

Et de me savoir aimé par elle me fait grandir!

***

Ce n'est pas pour rien que j'ai mentionné Noël...

C'est que Noël 2005, pour Hélène et moi, et pour ceux que nous aimons, avait été si triste!

Alors, pour 2006, je m'étais promis un Noël formidable!

À la mi-novembre, nos invitations sont lancées, et le sapin est déjà dans le salon! Hélène me trouve un peu «en avance» sur le calendrier du temps des fêtes, mais je crois qu'elle est heureuse de constater que mon goût de vivre et mon enthousiasme sont revenus! Et elle est tout à fait d'accord avec moi quand je dis que ce 24 décembre, je veux à tout prix que «notre monde» soit présent.

Tous les jours, je magasine!

J'adore les décorations des vitrines.

Je n'ai jamais acheté autant de cadeaux! Je voudrais que nous passions toute la nuit du 24 à déchirer des papiers d'emballage en poussant des cris de joie devant les surprises qu'ils cachent.

Je deviens le client rêvé de dizaines de commerçants ravis.

Je n'ai que des chansons de Noël dans la tête. Les souvenirs de mes Noëls d'enfant me remplissent de nostalgie.

J'espère qu'il neigera et que nous aurons un Noël blanc.

Bon...

La radiothérapie peut causer des nausées.

Elle ne m'a pas épargné.

Mon Noël 2006 n'a pas été aussi parfait que je le souhaitais.

Mais nous voilà en 2007...

Cette fois, il sera merveilleux!

CHANSONS-SOUVENIRS

L'ÉVIER

Tu me malmènes et tu m'entraînes
Dans les quartiers des sans lumière
Juste un peu trop étourdi, tu dévores
Mon âme et devant Dieu
Et je n'ai comme seul repaire
Une seule étoile dans la matrice
Mais comme tu m'as si bien brûlé
Il ne reste à mes ailes qu'un plumeau

J'ai le cœur en décembre et
La tête sous l'oreiller
Il te reste qu'à me prendre
Et qu'à me jeter dans l'évier

Et mes mots à ta sourde oreille
Sont détournés par les courants
Me voilà trop exposé
L'ampoule fait de mon film, une soupe
J'ai été au bout de la terre
Pour me retrouver dans le même miroir
Mais j'ai fini de faire l'autruche
J'irai là où le sable est inondé

J'ai le cœur en décembre et
La tête sous l'oreiller
Il te reste qu'à me prendre
Et qu'à me jeter dans l'évier

Mais si le jour déteint sur la nuit
Et que je retrouve plus jamais le sommeil
J'en ferai pas une maladie
Mais si un jour tu te rappelles
Que t'as perdu l'âme du braconnier
Pose ton coeur à mon chevet
Pour qu'enfin je puisse lécher mes plaies
Et qu'en paix je puisse m'envoler

MARIE

Dans les étoiles se berce une petite fille
Que j'appelle Marie
Elle glisse comme perséides au-dessus des nuages
Je te dis pas comment j'en ai envie
Mais c'est qu'à tous les soirs où la lune se lève
Je m'accroche au bout de son croissant
Ainsi c'est dans le ciel que je me balade avec
Marie entre les diamants

Je fais le tour de la planète
Comme une soucoupe
Je joue à l'extra-terrestre et le monde est fou
Je fais le tour de la planète comme une soucoupe
Non ma vie n'est pas terrestre
Et le monde est fou

Refrain

Comme un cheval de bois sous l'arcade du ciel
Je flotte doucement
Entre mes doigts se glisse le doux fil d'Ariane
Comme un filet
De fumée d'encens
Et sous les feux de la terre je m'expose
Au tir clair des chasseurs de pigeons
Qui font de moi une étoile d'argile
Qui à toute fin utile n'est bon
Que pour le plongeon

Refrain

Comme un pain d'épices apeuré
Du ventre de l'affamé
Je fuis ainsi la lumière des tisons d'univers
Le jour est devenu mon enfer
Je m'en retourne sur la terre me cacher
Dans la mer suivre les sirènes
Dans les contre-courants
Et comme un saumon en rivière
Je nie l'attraction de la terre
Et je me prends pour un poisson volant

DERNIER SOLDAT

J'étais de toutes les guerres et de toutes les campagnes
Jamais je ne trépasse même sous l'épée
De Charlemagne
De bataille en croisades, je n'ai jamais connu la peur
Je me nomme l'artisan de tous les malheurs
De la guerre des cent ans ou à celles des Balkans
Je suis sur cette terre depuis la nuit des temps
La sueur de mon front est le fleuve de la bataille
Mes ennemis vous le diront car jamais ils ne gagnent
Je suis le dernier soldat

Something went wrong around the world
Well too many die in this unkind world

Je suis l'ange de la mort et des mortels combats
J'ai porté la cagoule et brûlé des croix
Oui, porté la cagoule et libéré les panthères
Car le destin de l'homme est sur un chemin amer
À savoir maintenant qui me détruira
Venu d'un autre monde, ça je ne sais pas
Je dois m'appliquer pour poursuivre mon œuvre
Mettre le sang sur ma toile, tel est mon chef-d'œuvre
Je suis le dernier soldat

Refrain

Je suis le grand capitaine, le grand général
Sur tous les réseaux, l'araignée sur la toile
Je possède l'antidote pour le venin de la paix
Et le silence en ce monde et bien ça jamais
Je suis le dernier soldat

Refrain

À TA LUMIÈRE

Il y a dans la nuit des démons horribles
Aux mille tentacules qui me font trembler
Quand je respire
L'avant-dernier souffle précédant la noyade
Qui se répète sans cesse
Qui se répète sans cesse

J'ai la tête qui tourne quand je pense à tous ces mots
À tous ces mots maudits, ces mots que tu m'as dits
De l'appât du démon qui meurt en promesses oubliées
Et je perds le goût de respirer
Et je perds le goût de respirer

C'est que ton regard m'assassine de paroles
À faucher le vent
C'est que ton regard m'assassine
Parce qu'on est faible de temps en temps
Un genou par terre, je perds mon sang
Qui cède sa place à ta lumière

Jamais de saison n'avait fait rien de plus beau
Au-dessus du printemps nous étions les oiseaux
À rendre jalouses plus d'un million de fleurs
C'était synchro parfaite la mélodie du bonheur
Oiseau joli, prends garde à ton plumage
Perdus dans la tempête, nous avons fait naufrage
Je suis maintenant une île seul sur mon radeau
Brûlé par le soleil au milieu des eaux
Et je rêve au sauvetage
Mais c'est qu'après ton passage
Il me reste sur les lèvres qu'une pâte de sel
Et l'envie de te boire
Et l'envie de te boire
Et l'envie de te boire

HERE WE GO

Il y a toi il y a moi
Il y a ta bouche, il y a mes doigts
Il y a les voiles que ton sein gonfle
Et mes lèvres qui parcourent ton monde
Il y a des jaloux dans tous les coins
Des faucheurs de rêves des sans destin
Et tous ceux qui m'irritent... et qui méritent
Que je fasse sauter à la dynamite

Mais nous on plane au-dessus de tout ça
Oui bébé-love toi et moi
On décollera assis en première
Le corps en flamme, la tête en l'air
Et Jean m'a dit où se trouve le dôme
À l'abri du tonnerre, du tonnerre qui gronde
Le paradis des condamnés
L'extase de tous les exilés

So here we go
So here we go go go go go go
Here we go
À se faire argile et à se prendre pour l'eau
Here we go
Here we go
À se faire argile et à se prendre pour l'eau
Here we go

Je cherche l'abîme, le point de non-retour
Pour me cacher au pied, au pied de ton velours
Et engloutir ce que t'as toujours caché
Ton souffle court je veux entendre chanter
Vierge du soleil prénom de ma vie
Mords dans tes lèvres pour étouffer tes cris
La synchro de nos courants chauds, si chauds
Fait perler l'eau partout sur notre peau

So here we go
So here we go go go go go go
Here we go
À se faire argile et à se prendre pour l'eau
Here we go
Here we go
À se faire argile et à se prendre pour l'eau
Here we go

DES BÊTISES

Même si j'te dis des bêtises
J'vois des affaires où c'est qu'y a rien
Il y a une chose qui faut j'te dise
Je t'aime comme s'il n'y avait plus de lendemain
Et si des fois j'ai l'air nono
Qu'j'ai pas l'air du plus brillant
J'ai jamais eu autant quelqu'un dans peau
Non j'ai jamais aimé autant

Je sais que mon coeur était à pétrir
Y'avait de la roche partout autour
C'est qu'une simple faille peut l'faire mourir
À vivre la nuit, on craint le four
Avec tes mains t'as tout pelé
Ta voix me guide quand j'vois plus clair
T'as fait rimer toujours et aimer
T'as fait tomber toute la poussière

Depuis tout est vrai, si vrai
Tout est clair
Que j'marcherais cent ans
Pour entrer avec toi dans la lumière

J'prétends pas être le plus fort
J'me sens Hercule depuis que t'es là
Je sens mon sang dans tout mon corps
Y est chaud, y brûle comme du magma
Je sais par contre que j'boite un peu
Y'avait ben d'la roche sur mon chemin
Les cicatrices s'en vont depuis peu
Voilà la paix qui arrive enfin

Depuis tout est vrai, si vrai
Tout est clair
Que j'marcherais cent ans
Pour entrer avec toi dans la lumière

Quand tu m'as dit le grand projet
De m'avoir élu pour le grand rôle
Y'a une promesse que je briserai jamais
De t'aimer jusqu'à la fin du monde
Et de faire grandir le trop plein d'amour
Et d'y donner le meilleur de moi
Pour vous entendre crier de la cour
Aie!, Viens donc nous rejoindre popa

TABLES DES MATIÈRES

Achevé d'imprimer au Canada par
Marquis Imprimeur Inc.